Het loket

Van Dennis Lehane verscheen eveneens
bij Ambo|Anthos *uitgevers*

Mystic River
Nachtleven

Dennis Lehane

Het loket

Vertaald uit het Engels
door Bert Meelker

Ambo|Anthos
Amsterdam

ISBN 978 90 263 2968 5
© 2014 Twentieth Century Fox Film Corporation
Originally published in a different form, as 'Animal Rescue',
in the anthology *Boston Noir*, published in 2009 by Akashic Books
© 2014 Nederlandse vertaling Ambo|Anthos *uitgevers*, Amsterdam en Bert Meelker
Oorspronkelijke titel *The Drop*
Oorspronkelijke uitgever William Morrow, an imprint of HarperCollins *Publishers*
Omslagontwerp Roald Triebels, Amsterdam
Omslagillustratie © 2014 Twentieth Century Fox Film Corporation
All rights reserved
Foto auteur © Diana Lucas Leavengood

Verspreiding voor België:
Veen Bosch & Keuning uitgevers nv, Antwerpen

Voor Tom en Sarah
Dat was pas een liefdesgeschiedenis

'Zwarte schapen, zwarte schapen,' roepen wij ondertussen,
Veilig in onze kooi;
En misschien horen ze het, en vragen ze zich af waarom
En verbazen ze zich, daarbuiten in de kou.

Richard Burton – 'Zwarte schapen'

1

Dierenasiel

Bob vond de hond twee dagen na kerst, toen door de kou de hele buurt was stilgevallen en met een kater en een opgeblazen buik binnen zat. Hij had net zijn reguliere dienst gedraaid van vier tot twee bij Cousin Marv's in de Flats, waar hij het grootste deel van de laatste twintig jaar achter de bar had gestaan. Het was een slappe avond geweest. Millie had op haar vaste kruk in de hoek gezeten, ze had haar cocktail gekoesterd en af en toe iets tegen zichzelf gefluisterd of gedaan alsof ze tv-keek, alles om haar terugkeer naar haar aanleunwoning in Edison Green maar zo lang mogelijk uit te stellen. Neef Marv was in hoogsteigen persoon komen binnenlopen en had wat rondgehangen. Hij zei dat hij de bonnen kloppend maakte, maar zat toch voornamelijk aan een tafeltje achterin zijn kansen in de paardenrennen te bestuderen en te sms'en met zijn zus Dottie.

Ze zouden zeker vroeg zijn dichtgegaan als Richie Whelans vrienden niet de hoek tegenover Millie ingenomen hadden en de hele avond op hun sinds lange tijd vermiste en vermoedelijk dode vriend hadden gedronken.

Op de dag af tien jaar geleden was Richie Whelan bij Cousin Marv's de deur uit gestapt om wat wiet of een paar andere downers te scoren (daarover was onder zijn vrienden de discussie nog gaande), en nooit meer teruggezien. Hij liet een vriendin achter, een door hem nog ongezien kind dat bij zijn moeder in New Hampshire woonde en een auto die net voor een nieuwe spoiler bij de garage stond. En daarom wist iedereen dat hij dood was: Richie zou zijn auto nooit hebben achtergelaten, hij hield van die bak.

Maar weinig mensen noemden Richie Whelan bij zijn echte naam. Iedereen kende hem als Glory Days, omdat hij maar niet uitgepraat raakte over zijn ene jaar als quarterback bij East Buckingham High. Hij hielp ze dat jaar aan winst in net één meer dan de helft van hun wedstrijden, wat op zich niet zo bijzonder was, tot je de cijfers van daarvoor en erna bekeek.

Dus daar zaten ze die avond, bij Cousin Marv's, de vrienden van de reeds lang verdwenen en vermoedelijk dode Glory Days – Sully, Donnie, Paul, Stevie, Sean en Jimmy – en ze zagen hoe de Celts door de Heat van het veld werden gespeeld. Bob bracht ze ongevraagd en van het huis hun vijfde rondje op het moment dat er in de wedstrijd iets gebeurde waardoor ze allemaal onder luid gekreun en geroep hun handen in de lucht wierpen.

'Jullie zijn verdomme te oud,' riep Sean naar het scherm.

Paul zei: 'Zo oud zijn ze niet.'

'Die Rondo blokte LeBron verdomme met zijn rollator,' zei Sean. 'En die kloot daar, hoe heet-ie, Bogans? Die wordt gesponsord door een luierfabrikant.'

Bob zette de drankjes voor Jimmy, de chauffeur van de schoolbus, op hun tafeltje.

'Wat zeg jij ervan?' vroeg Jimmy hem.

Bob voelde dat hij een kleur kreeg, zoals zo vaak als mensen hem op zo'n manier aankeken dat hij zich gedwongen voelde om terug te kijken. 'Daar loop ik niet warm voor, basketbal.'

Sully, die in een tolcabine werkte, zei: 'Ik zou niet weten waar jij wel warm voor loopt, Bob. Lezen? Tv-kijken? Daklozen opjagen?'

De jongens grinnikten, en Bob glimlachte verontschuldigend terug.

'Rondje van het huis,' zei hij.

Hij liep weg en sloot zich af voor de opmerkingen achter zijn rug.

Paul zei: 'Ik heb wel meiden gezien, en echt niet de lelijkste, die werk van hem maakten, maar dat werd nooit wat.'

'Misschien valt hij op kerels,' zei Sully.

'Die jongen valt nergens op.'

Sean hervond zijn goede manieren en hief het glas naar Bob en toen naar Cousin Marv. 'Bedankt, jongens.'

Marv, die inmiddels achter de bar was komen zitten, met de krant open voor zich, glimlachte, hief ook zijn glas en richtte zich weer op zijn krant.

De andere jongens pakten hun glas en klonken.

Sean zei: 'Gaat er nog iemand iets zeggen voor Richie?'

Sully zei: 'Op Richie "Glory Days" Whelan, East Buckingham High, eindexamenklas van 1992, en een maffe gast. Hij ruste in vrede.'

De rest van de jongens mompelde zijn goedkeuring en nam een slok, en Marv kwam naast Bob staan terwijl die de vuile glazen in de spoelbak zette. Marv sloeg zijn krant dicht en liet zijn blik over het groepje jongens gaan.

'Heb je ze een rondje gegeven?' vroeg hij aan Bob.

'Ze drinken op een overleden vriend.'

'Die knul is ondertussen, wat zal het zijn, tien jaar dood?' Marv werkte zich in het leren jack dat hij altijd droeg, van het model dat in de mode was geweest op het moment dat de vliegtuigen in de Twin Towers vlogen en uit de mode tegen de tijd dat die torens omvielen. 'Er komt een moment dat je verder moet en ophoudt met gratis drank scoren over de rug van een lijk.'

Bob spoelde een glas om voor hij het in de vaatwasser zette, zei niets.

Neef Marv trok zijn handschoenen aan, sloeg zijn das om en wierp een blik op Millie, aan het andere uiteinde van de bar. 'En nou we het er toch over hebben, we kunnen haar niet de hele avond die kruk bezet laten houden en haar niet voor haar drankjes laten betalen.'

Bob zette nog een glas in het bovenste rek. 'Zoveel drinkt ze niet.'

Marv boog zich naar hem toe. 'Maar wanneer heb jij haar voor het laatst iets laten betalen? Het is hier niet de voedselbank, het is een bar. Vanavond betaalt ze wat er nog van haar openstaat en anders komt ze er niet meer in tot ze dat wel gedaan heeft.'

Bob keek hem aan en zei zachtjes: 'Het is honderd dollar of zo.'

'Honderdveertig, om precies te zijn.' Marv liep naar de deur en bleef daar staan. Hij wees naar de feestverlichting voor de ramen en boven de bar. 'O ja, Bob. Haal die kerstrommel weg. Het is de zevenentwintigste.'

Bob vroeg: 'En Driekoningen dan?'

Marv staarde hem een poosje aan. 'Ik zou niet weten hoe ik daar zelfs maar op moest reageren,' zei hij, en hij vertrok.

Nadat de wedstrijd van de Celtics zich tot een eind had gesleept, als een door niemand bijzonder geliefd familielid naar een geregisseerde zachte dood, vertrokken de vrienden van Richie Whelan, zodat alleen de oude Millie en Bob nog over waren.

Millie schoot in een slijmrijke en eindeloze rokershoest terwijl Bob de bezem hanteerde. Millie bleef hoesten en net toen het leek alsof ze erin zou stikken, hield ze op.

Bob veegde langs haar kruk. 'Gaat het?'

Millie wuifde hem weg. 'Kon niet beter. Ik neem er nog een.'

Bob liep om naar de tap. Hij kon haar niet recht in de ogen kijken en hield zijn blik op de zwart rubberen vloermat gericht. 'Je moet wel betalen. Het spijt me. En weet je, Mill?' – Bob kon zich wel voor zijn kop schieten op dat moment, uit pure schaamte dat hij tot het menselijke ras behoorde – 'Ik moet je je openstaande rekening laten betalen.'

'O.'

Bob keek haar niet meteen aan. 'Ja.'

Millie frunnikte wat aan de sporttas die ze elke avond bij zich had. 'Natuurlijk, natuurlijk. Jullie moeten ook leven. Natuurlijk.'

Het was een oude sporttas, het logo op de zijkant was niet meer leesbaar. Ze rommelde erin rond. Ze legde een dollar en tweeënzestig cent op de bar. Rommelde nog wat verder en haalde een antiek fotolijstje tevoorschijn, zonder foto. Ze legde het op de bar.

'Echt zilver, van de juwelier in Water Street,' zei Millie. 'Robert Kennedy heeft daar nog eens een horloge gekocht voor Ethel, Bob. Dit is een kostbaar ding.'

Bob zei: 'Maar heb je er geen foto in?'

Millie keek weg, naar de klok boven de bar. 'Die is verbleekt.'

'Van jou?' vroeg Bob.

Millie knikte. 'En de kinderen.'

Ze keek weer in haar tas, rommelde nog wat. Bob zette een asbak voor haar neer. Ze keek naar hem op. Hij wilde even over haar hand strijken – een gebaar van troost, je bent niet helemaal alleen – maar zulke gebaren moest je maar beter aan anderen overlaten, mensen in films bijvoorbeeld. Telkens wanneer hij zoiets persoonlijks probeerde, pakte het onbeholpen uit.

Dus draaide hij zich om en maakte een nieuw drankje voor haar klaar.

Hij zette het voor haar neer. Hij pakte de dollar van de bar en liep naar de kassa.

Millie zei: 'Nee, neem...'

Bob keek haar over zijn schouder aan. 'Zo is het goed.'

Bob kocht zijn kleren bij een discount; om de twee jaar nieuwe T-shirts, jeans en flanellen overhemden. Hij reed in een Chevrolet Impala die hij al had sinds zijn vader hem in 1983 de sleutels had gegeven, en de teller was de klok nog niet rond want hij ging nooit ergens heen. Zijn huis was hypotheekvrij en de onroerendgoedbelasting was een lachertje, want lieve god, wie wou daar nou wonen? Dus als er één ding was dat Bob had wat niemand van hem vermoed zou hebben, dan was het een vrij besteedbaar inkomen. Hij legde het dollarbiljet in de kassalade. Hij voelde in zijn zak, haalde er een pakje papiergeld uit en hield het voor zich terwijl hij er zeven briefjes van twintig uit trok die hij ook in de la deed.

Toen hij zich weer omdraaide had Millie het kleingeld van de bar geveegd en het fotolijstje weer in haar sporttas gedaan.

Millie dronk haar glas leeg terwijl Bob zijn schoonmaakwerk afmaakte, en toen de ijsblokjes in haar glas rammelden, nam hij zijn plek achter de bar weer in.

'Heb jij weleens gehoord van Driekoningen?' vroeg hij.

'Natuurlijk,' zei ze. 'Zes januari.'

'Niemand die dat nog weet.'

'In mijn tijd betekende het iets,' zei ze.

'In mijn pa's tijd ook.'

Er sloop een verstrooid soort medelijden in haar stem. 'Maar niet in jouw tijd.'

'Nee,' stemde Bob in, en hij voelde in zijn borst dat hulpeloze gefladder van een opgesloten vogel die een weg naar buiten zocht.

Millie zoog haar longen vol rook en blies genotvol uit. Ze hoestte nog een paar keer en doofde haar sigaret. Ze trok haar uitgewoonde winterjas aan en liep op haar gemak naar de deur, die Bob voor haar opende – er viel een lichte sneeuw.

'Goeienacht, Bob.'

'Wees een beetje voorzichtig,' zei Bob. 'Het is glad.'

Dit jaar was de achtentwintigste een ophaaldag voor grof vuil in zijn deel van de Flats; de mensen hadden ruim van tevoren hun containers en spullen op de stoep gezet voor de vuilniswagen de volgende ochtend. Bob liep naar huis en keek met een mengeling van vermaak en wanhoop naar wat men afdankte. Al dat veel te snel kapotte speelgoed. Al dat weggooien van spullen die het nog prima deden maar die gemaakt waren om vervangen te worden. Broodroosters, tv's, magnetrons, stereoapparatuur, kleren, radiografisch bestuurbare auto's, vliegtuigjes en monstertrucks die alleen hier en daar een drup lijm of wat tape nodig hadden. En niet dat zijn buren nou wat je noemt rijk waren. Bob was de tel kwijtgeraakt van de echtelijke ruzies over geld die hem 's nachts uit zijn slaap hielden, de tel kwijtgeraakt van alle mensen die 's morgens in de metro stapten met een gezicht vol zorgen en met de vacaturebijlage van de krant stevig in een klamme vuist. Hij stond achter ze in de rij bij de supermarkt terwijl ze hun voedselbonnen telden, en bij de bank wanneer ze hun bijstand kwamen cashen. Sommigen hadden twee banen, sommigen konden zich alleen dankzij de huurtoeslag een dak boven hun hoofd veroorloven en sommigen overdachten het leed van hun bestaan bij Cousin Marv's, met een afwezige blik en hun vingers krampachtig om het oor van hun bierpul.

En toch deden ze aankopen. Ze bouwden een toren van schulden en op het moment dat die onder zijn last leek te zullen omvallen, kochten ze een zithoek op afbetaling en smeten die erbovenop. En de noodzaak om dingen aan te schaffen leek een even grote of zelfs grotere noodzaak met zich mee te brengen om spullen te lozen. Er school een bijna gewelddadige verslaving in de bergen afval die hij zag; het deed hem denken aan voedsel uitpoepen dat je al nooit in je mond had moeten stoppen.

Bob – zelfs van dit ritueel buitengesloten door zijn eenzaamheid van bestaan, door zijn onvermogen om iemand die belangstelling voor hem leek te hebben langer dan vijf minuten aan zich te binden voor een gesprek over het nieuws van de dag – gaf soms toe aan een zondig gevoel van trots op deze wandelingen, trots dat hijzelf niet zo roekeloos consumeerde, niet de behoefte voelde om te kopen wat de tv, radio, billboards, tijdschriften en kranten verlangden dat hij kocht. Het zou hem geen stap dichter brengen bij wat hij wilde, want het enige wat hij wilde was niet alleen zijn, maar hij wist dat daarvoor geen redding bestond.

Hij woonde alleen in het huis waarin hij was opgegroeid, en wanneer het dreigde hem te zullen opslokken, met zijn geuren, herinneringen en donkere divans, hadden zijn pogingen om eruit te ontsnappen – door middel van bijeenkomsten in de kerk, buurtpicknicks en één keer een verschrikkelijke borrel van een datingbureau – de wond alleen maar dieper gemaakt, zodat hij nog weken bezig was met herstellen terwijl hij zichzelf vervloekte om zijn hoop. Stomme hoop, fluisterde hij soms tegen zijn zitkamer. Stomme, stomme hoop.

Maar niettemin leefde die in hem. Stil, en meestal zelfs hopeloos. Hopeloze hoop, dacht hij soms, wat hem deed glimlachen, waardoor mensen in de metro zich afvroegen waarom die man in vredesnaam zat te glimlachen. Vreemde, eenzame Bob, de barkeeper. Best een aardige vent, nooit te beroerd om te helpen een pad door de sneeuw te scheppen of een rondje te bestellen, een goeie kerel, maar zo verlegen dat je de helft van de tijd niet verstond wat hij zei, zodat je het maar opgaf, hem beleefd toeknikte en een gesprek met iemand anders aanknoopte.

Bob wist hoe ze over hem dachten, en hij kon ze geen ongelijk geven. Hij kon met voldoende afstand naar zichzelf kijken om te zien wat zij zagen: een eeuwige loser, niet op zijn gemak in gezelschap, geplaagd door eigenaardige tics zoals zonder enige reden aanhoudend knipperen of zijn hoofd raar scheef houden wanneer hij stond te dagdromen, kortom, het soort gast bij wie andere losers gunstig afstaken.

'Jij hebt zoveel liefde in je hart,' zei pastoor Regan tegen Bob toen hij een keer in tranen uitbarstte tijdens de biecht. De pastoor nam hem mee naar de sacristie, waar ze samen een paar glazen whisky dronken uit de fles die hij voor niemand zichtbaar op een plank boven de soutanes had staan. 'Echt waar, Bob. Dat kan iedereen aan je zien. En ik weet zeker dat er ergens een goede vrouw is, een goede vrouw die in God gelooft, die die liefde van jou zal zien en zal omarmen.'

Hoe vertel je een man van God over de mensenwereld? Bob wist dat de pastoor het goed bedoelde, dat hij het in theorie bij het rechte eind had. Maar Bob wist uit ervaring dat vrouwen de liefde in zijn hart zeker wel zagen, maar dat ze gewoon de voorkeur gaven aan een hart dat verpakt was in een aantrekkelijker omhulsel. En het lag niet alleen aan de vrouwen: hij was het zelf. Hij vertrouwde zichzelf niet met breekbare zaken. Al jaren niet meer.

Zich bewust van de inktzwarte lucht boven zijn hoofd en de kou in zijn vingers hield hij stil op de stoep en sloot zijn ogen tegen de avond.

Hij was eraan gewend. Hij was eraan gewend.

Het was wel best zo.

Je kon er vrede mee hebben, zolang je je er maar niet tegen verzette.

Met zijn ogen dicht hoorde hij het: een afgemat geweeklaag vergezeld van een vaag krassend geluid en een scherper klinkend, metaalachtig rammelen. Hij deed zijn ogen open. Een groot metalen vuilnisvat, stevig afgesloten met een zwaar deksel. Een kleine vijf meter verderop rechts op de stoep. Het schudde licht heen en weer in de gele gloed van de straatlantaarn, de bodem kraste over de tegels. Hij stapte eropaf, leunde eroverheen en hoorde opnieuw dat geweeklaag, het geluid van iets levends dat bij elke ademhaling kon besluiten dat een volgende er niet meer in zat, en Bob tilde het deksel op.

Hij moest een paar dingen weghalen om erbij te kunnen: een magnetron zonder deur en vijf lijvige Gouden Gidsen, waarvan de oudste nog van 2005 was, boven op vuil beddengoed en muffe kussens. De hond – die of heel klein was of anders een pup – lag helemaal onderin en duwde zijn kop weg in zijn middenrif toen het licht op hem viel. Hij liet een zacht begin van gejank horen, trok zijn lijf nog meer samen en kneep zijn ogen tot spleetjes. Een broodmager ding. Bob kon zijn ribben tellen. Hij zag een grote bloedkorst bij zijn oor. Geen halsband. Hij was bruin met een witte snuit en poten die veel te groot leken voor zijn lijf.

Toen Bob zijn armen naar hem uitstak, zijn vingers in zijn nekvel zette en hem uit zijn eigen uitwerpselen omhoogtrok, werd het gejank feller. Bob had niet al te veel verstand van honden, maar dit beest was duidelijk een boxer. En beslist een pup, die zijn grote bruine ogen naar hem opsloeg terwijl hij hem voor zich in de lucht hield.

Ergens, wist hij zeker, bedreven twee mensen de liefde. Een man en een vrouw. Verstrengeld achter een van die oranje oplichtende rolgordijnen die uitkeken op straat. Hij voelde dat ze er waren, ergens daarbinnen, naakt en gelukkig. En hij stond hier in de kou met een zo goed als dode hond die hem aanstaarde. De beijzelde stoep glom als nieuw marmer, en de wind was donker en grijs als papsneeuw.

'Hé, wat heb je daar?'

Bob draaide zich om en keek links en rechts de stoep af.

'Nee, hierboven. En je zit in mijn afval.'

Ze stond op het balkon van de dichtstbijzijnde lage flat. Ze had het balkonlicht aangedaan en stond te rillen op haar blote voeten. Ze voelde in de zak van haar sweater en haalde een pakje sigaretten tevoorschijn. Ze stak op zonder haar blik van hem af te wenden.

'Ik heb een hond.' Bob hield hem omhoog.

'Wat?'

'Een hond. Een puppy. Een boxer, geloof ik.'

Ze hoestte wat rook uit. 'Wie stopt er nou een hond in een afvalbak?'

'Precies,' zei hij. 'Dat dacht ik ook. Hij bloedt.' Hij deed een stap in de richting van haar trapopgang, en zij week een stap achteruit.

'Wie ken jij die ik ook zou kennen?' Een verstandig stadsmeisje, niet van plan risico's te lopen met de eerste de beste onbekende.

'Geen idee,' zei Bob. 'Francie Hedges misschien?'

Ze schudde haar hoofd. 'Ken je de Sullivans?'

Ongelukkige keus. Althans in deze buurt, want schudde je aan een boom, dan viel er een Sullivan uit. Meestal gevolgd door een tray bierblikjes. 'Ik ken er een heel stel.'

Zo schoot het niet op, en de pup keek hem aan en rilde erger dan het meisje.

'Hé,' zei ze, 'woon je in deze buurt?'

'Ja.'

'Ga je naar de kerk?'

'De meeste zondagen.'

'Dus dan ken je pastoor Pete.'

'Pete Regan,' zei hij, 'natuurlijk.'

Ze haalde een mobiele telefoon tevoorschijn. 'Hoe heet je?'

'Bob,' zei hij. 'Bob Saginowski.'

Ze hield haar telefoon op en nam een foto. Het was gebeurd voor hij er erg in had, anders had hij op z'n minst even een hand door zijn haar gehaald.

Bob wachtte terwijl ze met de telefoon aan haar ene oor en een vinger in haar andere uit het licht stapte. Hij keek naar de puppy. De puppy keek terug als om te zeggen: hoe ben ik hier verzeild geraakt? Bob raakte hem met zijn wijsvinger aan op zijn neus. De puppy knipperde met zijn enorme ogen. Heel even waande Bob zich zonder zonden.

'Je foto is net verstuurd,' zei ze vanuit het donker. 'Aan pastoor Pete en zes andere mensen.'

Bob staarde in het donker en zei niets.

'Nadia,' zei het meisje, terwijl ze weer in het licht stapte. 'Kom maar met hem naar boven, Bob.'

Ze wasten de jonge hond in Nadia's gootsteen, droogden hem en brachten hem naar de keukentafel.

Nadia was klein. Laag in haar hals liep een koord van ruw littekenweefsel. Het was donkerrood, als de grijns van een dronken circusclown. Ze had een met putjes bezaaid muizengezichtje en kleine, hartvormige ogen. Schouders die niet zozeer ophielden bij

18

de armen als wel erin overvloeiden. Ellebogen als gekreukte bierblikjes. Geelblond kort haar dat aan weerszijden langs haar ovale gezicht krulde. 'Het is geen boxer.' Toen ze de puppy op de keukentafel liet neerkomen, gleed haar blik weg van Bobs gezicht. 'Het is een Amerikaanse staffordshireterriër.'

Bob wist dat hij iets uit haar toon moest opmaken, maar hij wist niet wat, dus deed hij er het zwijgen toe.

Toen zijn zwijgen te lang aanhield, keek ze weer naar hem op. 'Een pitbull.'

'Is dit een pitbull?'

Ze knikte en bette opnieuw de hoofdwond van de puppy. Iemand had hem afgeranseld, had ze tegen Bob gezegd. Iemand had het dier waarschijnlijk buiten westen geslagen, aangenomen dat het dood was en het gedumpt.

'Waarom?' vroeg Bob.

Ze keek hem aan. Haar ronde ogen werden ronder en groter. 'Gewoon, zomaar.' Ze haalde haar schouders op en ging verder met haar inspectie van de hond. 'Ik heb een tijdje bij de dierenambulance gewerkt. Ken je dat asiel in Shawmut? Als dierenverzorgster. Tot ik in de gaten kreeg dat het niks voor mij was. Ze zijn ontzettend lastig, dit ras...'

'Hoezo?'

'Om onder te brengen,' zei ze. 'Het is ontzettend lastig om een adres voor ze te vinden.'

'Ik weet niks van honden. Ik heb er nooit een gehad. Ik woon alleen. Ik liep gewoon langs die container.' Bob voelde zich gegrepen door een wanhopige drang om zich te verantwoorden, zijn bestaan te verantwoorden. 'Ik ben gewoon niet...' Hij hoorde de wind buiten, zwart en ratelend. Regen of hagel spatte tegen de ruiten. Nadia tilde de linkerachterpoot van de puppy op – de andere drie waren bruin, maar deze was wit met perzikkleurige vlekken. Ze liet de poot los alsof hij besmettelijk was. Ze ging terug naar de wond op zijn kop, keek nog eens nauwkeuriger naar het rechteroor, waaruit een stukje van de punt miste, iets wat Bob pas nu opviel.

'Nou,' zei ze, 'hij zal het wel redden. Je zult een mand nodig hebben, en hondenvoer en al dat soort spul.'

'Nee,' zei Bob. 'Je begrijpt het niet.'

Ze hield haar hoofd schuin en keek hem aan met een blik die aangaf dat ze het prima begreep.

'Dat zal niet gaan. Ik heb hem alleen maar gevonden. Ik was van plan om hem terug te geven.'

'Aan degene die hem sloeg en voor dood achterliet?'

'Nee, nee, meer aan het bevoegd gezag of zo.'

'Dat zou dan het asiel zijn,' zei ze. 'En nadat ze de eigenaar zeven dagen de tijd hebben gegeven om hem op te halen, zullen ze...'

'De vent die hem sloeg? Die krijgt een tweede kans?'

Ze keek hem half fronsend aan en knikte. 'Als hij hem niet terugneemt,' ze tilde het oor van de puppy op en keek erin, 'is er een grote kans dat ze deze kleine jongen hier ter adoptie aanbieden. Maar dat is lastig. Om een thuis voor ze te vinden. Pitbulls. In de meeste gevallen...' Ze keek naar Bob. 'In de meeste gevallen laten ze ze inslapen.'

Bob voelde hoe er een golf van bedroefdheid uit haar kwam rollen, zodat hij zich meteen schaamde. Hoe wist hij niet, maar hij had verdriet teweeggebracht, de wereld ingestuurd. Hij had dit meisje teleurgesteld. 'Ik...' begon hij. 'Het is gewoon...'

Ze sloeg haar ogen naar hem op. 'Wat zei je?'

Bob keek naar de puppy. Zijn ogen waren dik van een lange dag in een vuilcontainer en wie hem die wond ook maar bezorgd mocht hebben. Maar rillen deed hij niet meer.

'Jij mag hem hebben,' zei Bob. 'Je hebt daar vroeger gewerkt, zoals je zei. Jij...'

Ze schudde haar hoofd. 'Ik kan niet eens voor mezelf zorgen.' Ze schudde opnieuw haar hoofd. 'En ik werk te veel. Op belachelijke tijden. Onvoorspelbaar.'

'Kun je me de tijd geven tot zondagochtend?' Bob wist niet goed hoe die woorden uit zijn mond hadden kunnen komen, want hij herinnerde zich niet dat hij ze had geformuleerd of zelfs maar bedacht.

Het meisje nam hem zorgvuldig op. 'En dat zeg je niet zomaar, hoop ik? Want shit, ik meen het, als je hem zondag voor de middag niet hebt opgehaald, staat hij zo weer buiten.'

'Zondag, dus.' Bob zei het met een overtuiging die hij ook daad-werkelijk voelde. 'Zondag, absoluut.'

'O ja?'

'Ja.' Hij voelde zich verdwaasd. Hij voelde zich zo licht als een hostie. 'Ja.'

2

Oneindig

De dagelijkse vroegmis van zeven uur in Saint Dominic's Church had al sinds lange tijd, al voor Bob geboren was, geen massa's getrokken. Maar nu werd het toch al beroerd lage aantal met de maand kleiner.

De ochtend nadat hij de hond had gevonden kon hij vanaf de tiende rij de zoom van pastoor Regans soutane over de marmeren vloer van het altaar horen glijden. De enige kerkgangers die ochtend – een bitter koude ochtend, dat wel, met beijzelde straten en een wind zo kil dat je hem bijna kon zien – waren Bob, de weduwe Malone, Theresa Coe, ooit directrice van de Saint Dom's School toen er nog een Saint Dom's School bestond, de oude Williams en de Puerto Ricaanse politieman die, dat wist Bob vrij zeker, Torres heette.

Torres zag er niet uit als een politieman – hij had vriendelijke, soms zelfs ondeugend kijkende ogen – waardoor het verrassend kon zijn een glimp op te vangen van de holster op zijn heup als hij na de communie weer in zijn kerkbank schoof. Bob ging zelf nooit ter communie, iets wat niet onopgemerkt was gebleven door pastoor Regan, die hem er verschillende keren van had proberen te overtuigen dat de schade van niet aan de eucharistie meedoen als hij in feite in een staat van doodzonde verkeerde, naar het oordeel van de brave pastoor veel erger was dan de schade die zou kunnen ontstaan door wel aan het Heilig sacrament deel te nemen. Maar Bob had een traditionele katholieke opvoeding gehad, in een tijd dat je werd doodgegooid met het voorgeborchte en meer nog met het vagevuur, een tijd dat nonnen met de bestraffende liniaal regeerden.

Dus hoewel Bob, theologisch gezien, wat betrof de meeste kerkelijke onderwerpen een liberaal gelovige was, bleef hij toch een traditionalist.

Saint Dom's was een oudere kerk, die dateerde van het eind van de negentiende eeuw. Het was een prachtig gebouw met donker mahoniehout, crèmekleurig marmer en hoge gebrandschilderde ramen, gewijd aan verschillende weemoedig kijkende heiligen. Het zag eruit zoals een kerk eruit hoorde te zien. De nieuwere kerken, daar wist Bob niet goed raad mee. De banken waren te blank, de dakramen te talrijk. Ze gaven hem het gevoel dat hij er kwam om zijn leven te vieren en niet om zijn zonden te overdenken.

Maar in een oude kerk, een kerk van mahonie, marmer en donkere lambriseringen, een kerk die kalme grootsheid en een onbuigzaam verleden uitstraalde, kon hij naar behoren nadenken over zowel zijn hoop als zijn zonden.

De andere gelovigen gingen in de rij staan om de hostie te ontvangen, terwijl Bob geknield in zijn bank achterbleef. Er was niemand om hem heen. Hij was een eiland.

Nu was de politieman aan de beurt, Torres, een goed uitziende man van begin veertig met een lichte aanleg tot pafferigheid. Hij ontving de hostie op zijn tong, niet in de holte van zijn hand. Ook een traditionalist.

Terwijl hij zich omdraaide sloeg hij een kruis, en onderweg naar zijn bank wierp hij een snelle blik op Bob.

'Wilt u allen opstaan.'

Bob sloeg een kruis en kwam overeind. Het knielsteuntje klapte hij op met zijn voet.

Pastoor Regan hief zijn hand boven de menigte en sloot zijn ogen. 'Moge de Heer u zegenen en u beschermen. Moge de Heer het licht van Zijn gelaat over u doen schijnen en u genadig zijn. Moge de Heer u Zijn gelaat toewenden en u vrede geven. Deze mis is beëindigd. Ga in vrede om de Heer lief te hebben en te dienen. Amen.'

Bob verliet zijn bank en liep het gangpad af. Hij doopte zijn vingers in het wijwatervat bij de uitgang en bekruiste zich. Bij het tegenoverstaande vat deed Torres hetzelfde. Torres knikte hem toe, als de ene vertrouwde onbekende de andere. Bob knikte terug, waarna ze ieder apart naar buiten stapten, de kou in.

Bob ging tegen een uur of twaalf naar zijn werk bij Cousin Marv's, omdat hij het er prettig vond als het rustig was. Dat gaf hem bovendien de gelegenheid om na te denken over de kwestie van de puppy.

De meeste mensen noemden Marv 'neef Marv' uit gewoonte, iets wat nog stamde uit zijn basisschooltijd, hoewel niemand zich kon herinneren waarom, maar Marv was ook in feite Bobs neef. Van moederskant.

Neef Marv had eind jaren tachtig en begin jaren negentig zijn eigen ploeg gehad. Die had voornamelijk bestaan uit jongens met een belang in woekerleningen en de ermee samenhangende business van het terugvorderen, hoewel Marv nooit zijn neus ophaalde voor welke winstgevende deal ook, omdat hij er tot in zijn diepste wezen van overtuigd was dat zij die nalieten de bakens te verzetten altijd de eersten waren die naar de kloten gingen wanneer de wind uit een andere hoek begon te waaien. Net als de dinosauriërs, zei hij altijd tegen Bob, toen de holbewoners op het toneel verschenen en de pijl uitvonden. Stel je die holbewoners voor, zei hij, terwijl ze de ene pijl na de andere afschieten op die arme tyrannosaurussen, vastgezogen in hun moerassige poelen. Een tragedie die makkelijk voorkomen had kunnen worden.

Marvs ploeg was niet het hardste of het meest gehaaide of succesvolste clubje jongens geweest dat in de buurt actief was – op geen stukken na – maar een tijdje hadden ze het toch aardig gered. Maar andere ploegen bleven hun op de hielen zitten, en op één flagrante uitzondering na waren ze nooit erg geneigd geweest tot geweld. Algauw moesten ze beslissen opzij te gaan voor ploegen die een stuk wreder waren dan zij, of het uit te vechten. Ze kozen voor het eerste en gingen af via de zijuitgang.

Marv was nu heler, een van de beste in de stad, maar in hun wereld stond helen gelijk aan op de postkamer werken in de burgerwereld: zat je er na je dertigste nog, dan hoefde je nooit meer op iets anders te hopen. Marv deed er nog wat weddenschapjes naast, maar alleen voor de vader van Chovka en de andere Tsjetsjenen, die de echte eigenaren van zijn bar waren. Het was niet bepaald algemeen bekend, maar evenmin een geheim, dat Marv al jaren niet meer de eigenaar was van Cousin Marv's.

Voor Bob was het een opluchting geweest – hij hield van zijn werk als barman en hij had de ene keer dat ze geweld hadden moeten gebruiken verschrikkelijk gevonden. Maar Marv, die wachtte nog steeds op de komst van de diamanten trein over de 18 karaats rails om hem mee te nemen uit dit alles. Meestal deed hij alsof hij gelukkig was. Maar Bob wist dat wat Marv achtervolgde hetzelfde was als wat hemzelf achtervolgde: de klotedingen die je deed om vooruit te komen. Die dingen lachten je uit als je streven niet veel opleverde; een succesvol man kon zijn verleden verbergen, maar een man zonder succes was de rest van zijn leven bezig met proberen niet te verdrinken in het zijne.

Die middag zag Marv er wat droevig uit, dus probeerde Bob hem op te vrolijken door hem te vertellen over zijn avontuur met de hond. Marv leek niet overdreven geïnteresseerd, maar Bob bleef zijn best doen terwijl hij strooizout uitgooide in de steeg en Marv bij de achterdeur stond te roken.

'Zorg dat het overal komt,' zei Marv. 'Straks glijdt een van die Kaapverdianen onderuit op weg naar de afvalcontainer, en dat kan ik er niet bij hebben.'

'Welke Kaapverdianen?'

'Die van die kapsalon.'

'De nagelstudio bedoel je? Dat zijn Vietnamezen.'

'Ook best. Ik moet niet hebben dat die uitglijden.'

Bob vroeg: 'Ken jij ene Nadia Dunn?'

Marv schudde zijn hoofd.

'Zij heeft die hond nu.'

Marv zei: 'Alweer die hond.'

Bob zei: 'Een hond africhten. Zindelijk maken en zo. Dat is een hele verantwoordelijkheid.'

Neef Marv smeet zijn peuk in de steeg. 'Het is niet alsof er een lang uit beeld geraakte dementerende oom in een rolstoel met een stomazak bij je aanbelt en zegt dat hij nu van jou is. Het is een hond.'

Bob zei: 'Ja, maar...' en hij kon geen woorden vinden om uit te drukken wat hij had gevoeld vanaf het moment waarop hij die puppy uit de vuilcontainer tilde en in zijn ogen keek, dat hij voor het eerst sinds hij zich kon herinneren het gevoel had gehad dat hij de hoofdpersoon was in zijn eigen leven en er niet alleen maar op de achterste rij van een rumoerige bioscoopzaal naar zat te kijken.

Neef Marv legde een hand op zijn schouder, boog zich met zijn scherpe rooklucht naar hem toe en herhaalde: 'Het. Is. Een. Hond,' waarna hij de bar weer in liep.

Tegen een uur of drie kwam Anwar, een van de Chovka-jongens, door de achterdeur naar binnen voor de opbrengst van de vorige avond. De jongens van Chovka waren in de hele stad laat met hun ophaaldiensten omdat de politie van Boston de vorige avond een pesterijinval had gedaan bij de Tsjetsjeense gezelligheidsvereniging en de helft van de runners en geldophalers een nacht in de cel had gehouden. Anwar nam de zak aan die Marv hem aanreikte en hielp zichzelf aan een Stella. Hij leegde het flesje in één lange, trage teug, waarbij hij Marv en Bob uitdagend aankeek. Eenmaal klaar liet hij een boer, zette het flesje terug op de bar en liep zonder een woord de deur weer uit, de zak met geld onder zijn arm.

'Geen respect.' Marv ruimde het flesje op en veegde de kring weg die op de bar was achtergebleven. 'Zag je dat?'

Bob haalde zijn schouders op. Natuurlijk had hij het ook gezien, maar wat deed je eraan?

'Die puppy, weet je,' zei hij, om de stemming wat op te vrolijken, 'die heeft poten zo groot als zijn kop. Drie zijn bruin, maar een is wit, met van die perzikkleurige vlekjes op dat wit. En...'

'En kan dat ding koken?' vroeg Marv. 'Het huis schoonmaken? Ik bedoel maar, het is verdomme een hond.'

'Natuurlijk, maar hij was...' Bob liet zijn handen zakken. Hij wist niet hoe hij het moest uitleggen. 'Ken je dat gevoel dat je soms hebt als alles meezit? Zoals... zoals wanneer jouw club wint en je hebt hoog ingezet op de juiste uitslag, of ze zetten je bij Blarney een biefstuk voor precies zoals je hem graag hebt, of... als je je gewoon lekker voelt? Als'... hij merkte dat hij weer met zijn handen stond te wapperen 'echt lekker?'

Marv knikte, schonk hem een dun glimlachje en richtte zich weer op zijn wedformulier.

Bob verdeelde zijn aandacht over het weghalen van de kerstversiering en achter de bar staan, maar na vijven begon het vol te lopen en algauw deed hij niets dan tappen. Ondertussen had Rardy, de tweede barkeeper, allang bij zullen springen, maar die was te laat.

Bob moest twee keer lopen om een stuk of tien jongens bij het dartbord te bedienen die glasvezelkabel aanlegden in alle nieuwe hotels in het havengebied. Terug achter de bar trof hij Marv aan die tegen een van de koelkasten geleund de *Herald* stond te lezen, maar de klanten vielen hém aan op de trage bediening, en één vent vroeg zelfs of het bier verdomme nog gebrouwen moest worden of zo.

Bob duwde Marv aan de kant, reikte in de koeler en mompelde iets over dat Rardy te laat was. Alweer. Bob, die van zijn leven nog niet te laat was gekomen, vermoedde een zekere vijandigheid heel diep in de aard van mensen die altijd te laat waren.

Marv zei: 'Nee, hij is er wel,' en hij maakte een gebaar met zijn hoofd. Nu zag Bob de jongen ook. Rardy, die een jaar of dertig was maar als hij een kroeg in wilde nog altijd om zijn identiteitsbewijs werd gevraagd. Rardy, die praatjes maakte met de klanten terwijl hij zich door de menigte werkte in zijn vale sweater met capuchon en gehavende jeans, hoedje op zijn kruin en altijd met dat uiterlijk alsof hij als slamdichter of stand-upcomedian op weg was naar een of ander open podium. Maar Bob kende hem nu vijf jaar en wist dat Rardy geen gram gevoeligheid in zijn lijf had en geen mop goed kon vertellen.

'Yo,' zei het joch, toen hij achter de bar stapte. Hij nam alle tijd om zijn jasje uit te doen. 'Hier zijn de hulptroepen.' Hij gaf Bob een klap op zijn rug. 'Daar heb je mooi mazzel mee, of niet?'

Buiten in de kou reden twee broers voor de derde keer die dag langs de bar, achterom door de steeg en vandaar terug naar Main Street, waar ze wegreden van de bar om een parkeerplek te zoeken en nog een paar lijntjes te doen.

Het waren Ed en Brian Fitzgerald. Ed was de oudste en hij was te dik, en iedereen noemde hem Fitz. Brian was dunner dan een tongspatel, en iedereen noemde hem Bri. Maar als ze als duo in een verhaal voorkwamen, noemden sommigen hen 'de 10' omdat dat ongeveer was hoe ze eruitzagen als ze naast elkaar stonden.

Fitz had de bivakmutsen op de achterbank liggen en de wapens in de kofferbak. De coke lag binnen handbereik op het paneel tussen de twee zittingen. Zonder een snuif vooraf zou Bri geen pistool aanraken.

Ze vonden een stille plek onder de snelweg, met uitzicht op de penitentiaire inrichting, die bedekt was met ijzel en sneeuw. Vanwaar ze zaten konden ze zelfs de plek zien waar ooit het scherm van de drive-inbioscoop had gestaan. Een paar jaar voor het was afgebroken hadden ze daar een meisje gevonden dat was doodgeslagen – waarschijnlijk de beroemdste moord van de buurt. Fitz legde hun lijntjes uit op een rechthoekig glasplaatje dat hij uit de zijspiegel van een sloopauto had gewurmd. Hij snoof de eerste lijn en gaf de spiegel en het opgerolde vijfje aan zijn broer.

Bri snoof zijn lijn en zonder te vragen ook die ernaast.

'Ik weet het niet,' zei Bri, wat hij de afgelopen week zo vaak had gezegd dat Fitz hem godverdomme nog zou wurgen als hij ermee doorging. 'Ik weet het niet.'

Fitz nam het rolletje en de spiegel terug. 'Komt helemaal goed.'

'Nee,' zei Bri. Hij friemelde aan zijn horloge, dat een jaar geleden was opgehouden de tijd aan te wijzen. Het was een afscheidscadeau van hun vader op de dag dat die had besloten dat hij geen vader meer wilde zijn. 'Het is een kloteplan. Gewoon ruk. We moeten ze pakken voor de hele mep, of gewoon niet.'

'Mijn kennis,' legde Fitz voor misschien wel de vijftigste keer uit, 'wil eerst zien of we het aankunnen. We doen het in stappen, zegt hij. Eens zien hoe de eigenaren na de eerste keer reageren.'

Bri keek hem stomverbaasd aan. 'En die zouden het weleens heel beroerd op kunnen vatten, idioot. Dat is goddomme een gangsterbar. Een loket ook nog eens.'

Fitz schonk hem een verkrampte glimlach. 'Dat is het 'm nou juist. Als het geen loket was, dan zou het nooit het risico waard zijn.'

'Nee. Hoor je?' Bri gaf een schop tegen de onderkant van het dashboardkastje. Een kind dat in een woedeaanval schoot. Hij frunnikte opnieuw aan zijn horloge, verschoof het bandje zo, dat het uurwerk aan de binnenkant van zijn pols kwam. 'Nee, nee, nee.'

Fitz zei: 'Nee? Broertjelief, je hebt Ashley, je hebt de kinderen en je hebt die stomme verslaving van je. Je auto sabbelt al sinds november aan een en dezelfde tank benzine en je horloge doet het nog altijd niet.' Hij leunde opzij tot zijn voorhoofd dat van zijn jongere broer raakte. Hij legde zijn hand in zijn nek. 'Zeg nou nog maar eens "nee".'

Bri zei het niet, natuurlijk niet. Hij nam nog een lijntje.

Het was een levendige avond, de bieromzet was hoog en er werd druk gewed. Bob en Rardy voorzagen in het eerste terwijl Marv zich over de nerveuze, altijd lichtelijk verwarde gokkers ontfermde en het wedgeld in de gleuf in het kastje onder de kassa liet glijden. Op een gegeven moment verdween hij naar achteren om de hele boel op te tellen, en hij kwam pas terug toen de drukte al flink was afgenomen.

Bob was bezig het schuim van twee pullen Guinness te vegen, toen er twee Tsjetsjenen binnenkwamen met hun gemillimeterde koppen, een baard van twee dagen en een glanzend trainingsjack onder een wollen overjas. Marv liep langs hen heen en overhandigde ze zonder zijn pas zelfs maar te onderbreken de bruine envelop, en tegen de tijd dat Bob het laatste schuim had verwijderd, waren de Tsjetsjenen alweer weg. Erin en eruit. Alsof ze nooit binnen waren geweest.

Een uur later was de bar leeg. Bob dweilde de vloer achter de bar en Marv telde de omzet. Rardy sleepte het afval de achterdeur uit naar de steeg. Toen Bob de dweil uitwrong boven de emmer, en opkeek, stond er een gast in de achterdeur die een geweer op hem richtte.

Wat hij er zich altijd van zou blijven herinneren, de rest van zijn leven, was de stilte. Hoe de hele wereld sliep – binnen en buiten – en alles doodstil was. En toch stond er een man in de deuropening met een bivakmuts over zijn hoofd en een geweer op hem en Marv gericht.

Bob liet zijn dweil vallen.

Marv, die naast een van de bierkoelers stond, keek op. Hij kneep zijn ogen samen. Vlak onder zijn hand lag een 9mm Glock. Bob hoopte bij God dat hij niet zo stom zou zijn om het ding te pakken. Nog voor Marvs hand de tap had losgelaten, zou dat geweer hen allebei kapotgeschoten hebben.

Maar Marv was niet gek. Heel traag hief hij zijn handen boven zijn schouders, nog voor de man het hem had kunnen opdragen, en dus deed Bob hetzelfde.

De man stapte naar binnen, en Bob kreeg een wee gevoel in zijn maag toen er daarop nog een vent binnenkwam, die met licht trillende hand een revolver op hen richtte.

Het zou op de een of andere manier allemaal wel te doen zijn geweest als er één gast met een geweer was geweest, maar twee van die lui in de bar voelde als een blaar die op springen stond. Eén speldenprik was voldoende. Dit zou het einde kunnen zijn, besefte Bob. Over vijf minuten – of misschien zelfs dertig seconden – zou hij kunnen weten of er een leven was na dit leven of slechts de pijn van metaal dat zijn lichaam binnendrong en zijn organen aan flarden joeg. Gevolgd door niets.

De man met de bevende hand was mager, die met het geweer aan de vlezige kant, dik eigenlijk, en allebei ademden ze zwaar door hun bivakmuts. De magere man legde een afvalzakje op de bar, maar de dikke deed het woord.

Hij zei tegen Marv: 'Nergens over nadenken, gewoon volgooien.'

Marv knikte alsof hij de bestelling van die vent ging klaarmaken en begon het geld dat hij zojuist had gesorteerd en gebundeld in de zak te stoppen.

'Ik wil niet moeilijk doen,' zei Marv.

'Nou, dat doe je anders godverdomme wel,' zei de dikke.

Marv hield op met geld in de zak stoppen en keek hem aan. 'Maar besef je wel wie z'n bar dit is? Wie z'n geld je hier eigenlijk staat te jatten?'

De magere deed een stap naar hem toe met het bevende pistool. 'Vul die zak, mongool.'

Die dunne droeg een horloge aan zijn rechterpols, met de wijzerplaat naar binnen. Bob zag dat het kwart over zes aanwees, hoewel het halfdrie 's nachts was.

'Geen probleem,' zei Marv tegen het bevende pistool. 'Geen probleem.' Waarna hij de rest van het geld in de zak deed.

De magere man trok de zak naar zich toe en deed een stap achteruit, en nu stonden zij met z'n tweeën met hun wapens aan de ene kant van de bar en Bob en Marv aan de andere. Bobs hart ging tekeer in zijn borst als een zak fretten die van een boot was gesmeten.

Op dat verschrikkelijke ogenblik had Bob een gevoel alsof alle tijd sinds het ontstaan van de wereld zijn muil naar hem opensperde. Hij zag de nachthemel uitdijen in de ruimte en de ruimte in de oneindige ruimte, met sterren die langs de inktzwarte einder werden geslingerd, als diamanten op een stuk vilt; alles was koud en eindeloos en hij was bij dat alles minder dan een stofje. Hij was de schim van een stofje, de schim van iets wat ongemerkt voorbij was gegaan. De schim van iets wat het niet waard was om herinnerd te worden.

Het enige wat ik wil is die hond groot krijgen, dacht hij om een of andere reden. Ik wil hem gewoon een paar kunstjes leren en nog een tijdje zo doorleven.

De magere vent liet het pistool in zijn zak glijden en liep de deur uit.

Nu was er alleen nog de dikzak met het geweer.

Hij zei tegen Marv: 'Jij moet niet zoveel lullen.'

En het volgende moment was hij verdwenen.

De deur naar de steeg had gepiept toen ze hem openden en had opnieuw gepiept toen hij dichtviel. Bob haalde op z'n minst een halve minuut geen adem, waarna hij en Marv tegelijk uitademden.

Bob hoorde een laag geluid, een soort kreunen, maar het kwam niet van Marv.

'Rardy,' zei Bob.

'O, shit.' Marv volgde hem om de bar heen en ze renden door het piepkleine keukentje naar achteren, waar ze de lege fusten opsloegen, en daar lag Rardy, links naast de deur, op zijn buik, zijn gezicht onder het bloed.

Bob wist niet goed wat hij moest doen, maar Marv liet zich naast hem op de grond vallen en begon aan zijn schouders te rukken alsof hij een buitenboordmotor aanslingerde. Rardy kreunde een paar keer en hapte toen naar adem. Het was een afschrikwekkend geluid, gesmoord en rauw, alsof hij glassplinters inademde. Hij kromde zijn rug, rolde op zijn zij en kwam half overeind. Zijn gezicht lag strak over zijn schedel, zijn lippen waren tegen zijn tanden getrokken als in een dodenmasker.

'O,' zei hij, 'o, mijn lul. Mijn lul. God.'

Toen hij even zijn ogen opendeed, zag Bob hoe hij probeerde te focussen. Het kostte even.

'Mijn god,' zei hij, wat naar Bobs idee al een lichte verbetering was ten opzichte van 'mijn lul', voor het geval iemand zich mocht afvragen of er hersenletsel was.

'Gaat het?' vroeg Bob.

'Ja, wil het een beetje?' Marv stond nu naast Bob, beiden met gebogen knieën over Rardy heen gebogen.

'Ik moet kotsen.'

Bob en Marv weken een paar stappen terug.

Rardy ademde een paar keer oppervlakkig uit, een paar keer oppervlakkig in, deed nog eens hetzelfde, en verkondigde: 'Nee, toch niet.'

Bob deed een paar stappen naar voren. Marv bleef staan waar hij stond.

Bob reikte Rardy een keukenhanddoek aan, die Rardy tegen de weke bult bloed en open vlees legde die de rechterkant van zijn gezicht bedekte, van zijn oogkas tot zijn mondhoek.

'Hoe erg zie ik eruit?'

'Valt best mee,' zei Bob.

'Ja, je ziet er goed uit,' zei Marv.

'Helemaal niet,' zei Rardy.

'Nee, helemaal niet,' zeiden Bob en Marv.

3

Het loket

Twee vrouwelijke agenten, Fenton, G., en Bernardo, R., reageerden als eersten op de oproep. Na één blik op Rardy klikte R. Bernardo haar schoudermicrofoon aan en bestelde een ambulance. Ze ondervroegen ze alle drie, maar richtten zich vooral op Rardy, omdat niemand dacht dat die het nog lang zou maken. Zijn huid had de kleur van november en hij likte voortdurend zijn lippen en knipperde met zijn ogen. Als hij nog nooit een hersenschudding had gehad, kon hij die nu afvinken.

Toen ging de deur open en kwam de dienstdoende rechercheur binnenlopen, wiens eerst nog uitdrukkingsloze blik opeens verwondering en vervolgens geamuseerdheid verried toen hij Bob herkende.

Hij wees naar hem. 'De mis van zeven uur in Saint Dom's.'

Bob knikte. 'Ja.'

'Elke ochtend zien we elkaar, wat zou het zijn, twee jaar? Drie? En we hebben elkaar nooit gesproken.' Hij stak zijn hand uit. 'Evandro Torres, recherche.'

Bob gaf hem een hand en stelde zich voor. 'Bob Saginowski.'

Torres gaf ook Marv een hand. 'Laat me eerst even met mijn meisjes praten – ho, mijn agenten, sorry – dan nemen we daarna samen nog eens door wat er is gebeurd.'

Hij overbrugde de paar passen naar de agentes Fenton en Bernardo, en ze spraken even op gedempte toon met elkaar, begeleid door veel geknik en wijzende gebaren.

Marv vroeg: 'Ken je die vent?'

'Kennen is een groot woord,' zei Bob. 'Hij gaat naar dezelfde mis.'

'Wat voor man is het?'

Bob haalde zijn schouders op. 'Weet ik niet.'

'Hij gaat naar dezelfde kerk als jij en je weet niet wat voor man het is?'

'Ken jij alle vaste bezoekers van je sportschool?'

'Dat ligt anders.'

'Hoe dan?'

Marv zuchtte. 'Dat is gewoon zo.'

Torres kwam terug, met zijn parelwitte tanden en die speelse blik in zijn ogen. Hij liet ze in hun eigen woorden vertellen wat ze zich precies herinnerden, en hun verhalen liepen vrijwel parallel, hoewel ze het er niet over eens waren of degene met het pistool Marv nou een 'mongool' of een 'randdebiel' had genoemd. Maar voor de rest liep het synchroon. Wat ze beiden helemaal weglieten was het stuk waarin Marv de vetzak vroeg of hij wel wist wiens bar het eigenlijk was, hoewel ze geen gelegenheid hadden gehad om daarover met elkaar te overleggen. Maar in dit deel van de stad stond het adagium HOU JE KOP al boven de ingang van de kraamafdeling van het Saint Margaret Hospital gekrast.

Torres krabbelde een eind weg in zijn notitieschriftje. 'Dus, oké bivakmutsen, zwarte coltruien, zwarte overjassen, zwarte jeans, de magere nerveuzer dan de andere, maar toch allebei behoorlijk stressbestendig. Verder niks wat jullie je kunnen herinneren?'

'Dat is het wel zo ongeveer,' zei Marv, die zijn hulpvaardige glimlach opzette. Meneer Goedbedoeld in eigen persoon.

'De man die het dichtst bij mij stond,' zei Bob, 'die z'n horloge was gestopt.'

Hij voelde Marvs blik op zich gericht en zag ook Rardy, met een ijszak tegen zijn wang, zijn kant op kijken. Hij had geen idee waarom hij in vredesnaam zijn mond had opengedaan. En vervolgens, tot zijn eigen nog grotere verbazing, bleef hij doorlullen.

'Hij droeg het aan de binnenkant van zijn pols.' Bob maakte er een gebaar bij.

Torres liet zijn pen boven het papier zweven. 'En de wijzers stonden stil?'

Bob knikte. 'Ja. Op kwart over zes.'

Torres maakte er een aantekening van. 'Voor hoeveel hebben ze jullie getild?'

Marv zei: 'Wat er in de kassa zat.'

Torres hield zijn blik en zijn glimlach op Bob gericht. 'En hoevéél zat er in die kassa?'

Bob zei: 'Wat erin zat, agent.'

'Inspecteur.'

'Gewoon wat erin zat, inspecteur.'

Torres keek wat om zich heen in de bar. 'Dus, stel ik vraag er zo links en rechts eens naar, dan zou ik niks te horen krijgen over dat mensen hier weddenschappen kunnen afsluiten of, weet ik het' – hij keek Marv aan – 'een veilige overdracht voor ontvreemde goederen regelen?'

'Wat voor goederen?'

'Ontvreemde,' zei Torres. 'Da's een mooi woord voor gestolen.'

Marv deed alsof hij hier even over nadacht. Toen schudde hij zijn hoofd.

Torres keek naar Bob, maar die schudde ook zijn hoofd.

'Of dat er zo nu en dan een zak wiet wordt verhandeld?' zei Torres. 'Ook daarover zou ik niks te horen krijgen?'

Marv en Bob beriepen zich in stilte op hun recht om te zwijgen.

Torres leunde achterover op zijn hakken en nam beiden op alsof ze een cabaretduo waren 'En als ik jullie kassarollen doorloop – Rita, zorg even dat je die dingen meekrijgt, oké? – dan vind ik precies het geldbedrag dat is meegenomen?'

'Absoluut,' zei Marv.

'Ga daar maar van uit,' zei Bob.

Torres lachte. 'Ach, dus de man voor de envelop was al langs geweest. Mooi voor jullie.'

Toen werd het Marv te veel, en met een gezicht waar de ontstemming van afdroop zei hij: 'Het bevalt me niks wat je, nou ja, insinueert. We zijn beroofd.'

'Ik weet dat jullie beroofd zijn.'

'Maar je behandelt ons als verdachten.'

'Maar niet voor het beroven van je eigen bar.' Torres liet zijn ogen rollen en zuchtte. 'Marv – het is toch Marv?'

Marv knikte. 'Volgens het bord op de voorgevel, ja.'

'Goed, Marv.' Torres gaf Marv een klopje op zijn elleboog, en Bob kreeg het gevoel dat hij zijn best moest doen om een grijns te onderdrukken. 'Iedereen weet dat jij hier een loket hebt.'

'Een wat?' Marv legde zijn hand achter zijn oor en boog zich naar Torres toe.

'Een loket,' zei Torres. 'Jullie hebben hier een loketbar.'

'Die term ken ik niet,' zei Marv, om zich heen kijkend op zoek naar dankbaar publiek.

'Nee?' Torres speelde het spelletje mee, en had er lol in. 'Oké, laten we dan zeggen dat deze buurt, en nog een paar andere buurten in deze hoek, niet vrij zijn van een zeker crimineel element.'

'Zo kan-ie wel weer,' zei Marv.

Torres keek verbaasd. 'Nee, echt. Ik meen het. En dus gaat het gerucht – een onzinverhaal, zeggen sommigen, maar volgens anderen is het gewoon een godvergeten feit, *excusez le mot* – het gerucht dus, dat een criminele groepering, een bende zeg maar...'

Marv lachte. 'Een bende!'

Ook Torres lachte. 'Toch? Ja, een criminele bende van voornamelijk Oost-Europeanen, en dan heb ik het over Kroaten, Russen, Tsjetsjenen en Oekraïners...'

'En hoezo geen Bulgaren?' vroeg Marv.

'Die ook,' zei Torres. 'Dus het gerucht gaat... Ben je d'r klaar voor?'

'Ja,' zei Marv, en nu was het zijn beurt om op zijn hakken achterover te wiegen.

'Het gerucht gaat dat die bende wedkantoortjes runt, in drugs dealt en de pooier speelt, overal in de stad. En dan bedoel ik van oost tot west en van noord tot zuid. Maar telkens wanneer wij, van de politie, de illegale winsten – zoals wij dat noemen – proberen te onderscheppen, is het geld niet waar we dachten dat het was.' Torres hield in een verbaasd gebaar zijn handpalmen op.

Marv stak de draak met het gebaar door er een verdrietig clownsgezicht bij te trekken.

'Waar is het geld?'

'Ja, waar?' vroeg ook Marv zich af.

'Niet in de bordelen, niet in de drugspanden, niet bij de bookmakers. Het is weg.'

'Gevlogen.'

'Gevlogen,' stemde Torres in. Hij liet zijn stem zakken en wenkte Bob en Marv dichterbij. Hij sprak zo zacht dat het bijna fluisteren was. 'Wij denken dat het geld elke avond wordt opgehaald en wordt' – hij maakte aanhalingstekens met zijn vingers in de lucht – '"afgegeven" bij een van tevoren geselecteerd "loket", een bar ergens in de stad. Die bar neemt al het geld van alle illegale shit die er die avond in de stad gaande is in ontvangst en blijft er tot de volgende dag op zitten. En dan komt er een of andere Rus in een zwartleren overjas en een wolk aftershave langs die het geld aanneemt en elders in de stad aflevert bij de bende.'

'Alweer die bende,' zei Marv.

'En zo gaat dat.' Torres klapte zo hard in zijn handen dat Rardy opkeek. 'Weg geld.'

'Mag ik je iets vragen?' zei Marv.

'Natuurlijk.'

'Waarom zitten jullie zo'n tent niet meer op de huid met een dwangbevel of gooien jullie de boel daar niet dicht omdat ze al dat criminele geld binnenkrijgen?'

'Aha,' zei Torres met opgestoken wijsvinger. 'Geweldig idee. Ooit overwogen om bij de politie te gaan?'

'Nou nee.'

'Zeker weten? Want je hebt het in je, Marv.'

'Ik ben maar een lullig kroegbaasje.'

Torres grinnikte en boog zich weer naar hen toe, als een geboren samenzweerder. 'De reden waarom we zo'n loketbar niet kunnen aanpakken is dat niemand, zelfs die bar zelf niet, weet dat ze een loket zullen zijn, tot een paar uur van tevoren dan.'

'Nee, echt?'

'Ja. En daarna is die tent misschien een halfjaar lang geen loket. Ja, of twee dagen later weer. Het punt is, je weet het nooit.'

Marv krabde zich op zijn stoppelige hoofd. 'Dus je weet het nooit,' herhaalde hij met een ondertoon van verwondering.

Zo stonden ze een ogenblik zonder iets te zeggen met z'n drieën bij elkaar.

'Goed, als jullie nog iets te binnen mocht schieten,' zei Torres ten slotte, 'bel vooral.' Hij gaf hun allebei zijn kaartje.

'Is er een kans dat jullie die lui pakken?' vroeg Marv, terwijl hij zijn gezicht waaierde met het kaartje.

'O, een heel klein kansje,' erkende Torres grootmoedig.

'Je bent tenminste eerlijk.'

'Tenminste een van ons is eerlijk.' Torres lachte schel en hard.

Marv lachte mee, maar hield plotseling op en liet zijn ogen kil worden alsof hij nog altijd een harde jongen was.

Torres keek naar Bob. 'Zonde van Saint Dom's, vind je niet?'

'Wat is daarmee?' vroeg Bob, die blij was dat hij het over iets anders kon hebben – deed er niet toe wat.

'Het is einde verhaal, Bob. Ze gaan dicht.'

Bob deed zijn mond open, maar kon niets zeggen.

'Ik weet het, ik weet het,' zei Torres. 'Ik hoorde het net vandaag. Ze gaan samen met Saint Cecilia's. Snap jij het?' Hij schudde zijn hoofd. 'Die gewapende jongens, klonken die als lui die je hier al eens binnen had gehad?'

Bob was nog met zijn gedachten bij Saint Dom's. Die Torres speelde graag een spelletje met je, vermoedde hij.

'Ze klonken als duizend anderen die we hier al eens binnen hebben gehad.'

'En hoe klinken ze dan, die duizend anderen?'

Bob dacht hier even over na. 'Alsof ze net verkouden zijn geweest.'

Torres glimlachte opnieuw, maar deze keer leek het gemeend. 'Dat kan goed kloppen, in dit deel van de stad.'

Een paar minuten later zat Rardy in de steeg op een brancard achter de ambulance terwijl de twee agentes wegreden in hun dienstauto en een van de ambulancebroeders zijn best deed een halveliterblik bier uit Rardy's hand te pakken.

'U hebt een hersenschudding,' zei de man.

Rardy greep zijn blikje terug. 'Maar niet van dat bier.'

De broeder keek naar neef Marv, die het bier uit Rardy's hand pakte. 'Beter van niet.'

Rardy stak zijn hand uit naar het bier en noemde Marv een zakkenwasser.

Torres en Bob stonden toe te kijken bij dit miniconflict, en Torres zei: 'Het is bespottelijk, allemaal.'

'Het komt wel goed met hem,' zei Bob.

Torres keek hem aan. 'Saint Dom's, bedoel ik. Prachtige kerk. En ze deden een goeie mis. Geen groepsknuffel na het Onzevader, geen folkmuziek.' Hij staarde met een hopeloos slachtofferwaas de steeg in. 'Tegen de tijd dat de ongelovigen klaar zijn met hun vervolging van de kerk, zal er niet veel meer van over zijn dan een stel appartementjes met gebrandschilderde ramen.'

Bob zei: 'Maar...'

Torres wierp hem de rechtschapen dreigende blik toe van een martelaar die toekijkt hoe de goddelozen zijn brandstapel in gereedheid brengen. 'Hoezo, maar?'

'Nou...' Bob hield zijn handpalmen op.

'Nee, wat bedoel je?'

'Als de kerk schuld zou bekennen...'

Torres zette zichzelf schrap en had niets speels meer in zijn ogen. 'O, daar gaat het om, zeker? Ik zie de *Globe* nog geen stukken over misbruik in de moslimwereld op de voorpagina plaatsen.'

Bob wist dat hij zijn kop zou moeten houden, maar iets dwong hem om door te gaan. 'Ze hebben de kinderverkrachting in de doofpot gestopt. Op bevel van Rome.'

'Ze hebben sorry gezegd.'

'Maar stelde dat wel echt iets voor?' vroeg Bob. 'Zolang ze de namen niet vrijgeven van de priesters die zich aan verkrachting schuldig hebben gemaakt en...'

Torres wierp zijn armen in de lucht. 'Het komt allemaal door dat cafetaria-katholicisme. De mensen willen grotendeels wel katholiek zijn, maar zonder, nou ja, zonder de dingen waar ze moeite voor moeten doen. Waarom ga jij niet ter communie?'

'Wat?'

'Ik zie jou nou al jaren bij de mis. En ik heb je niet één keer ter communie zien gaan.'

Bob was verbijsterd en voelde zich bespied. 'Dat zijn mijn zaken.'

Torres herkreeg ten slotte zijn glimlach, maar het was een zo valse glimlach dat Bob hem met zijn ogen dicht had kunnen ruiken.

Torres zei: 'Dacht je dat echt?' en hij liep naar zijn auto.

Bob stak over naar de ambulance en vroeg zich af wat er in hemelsnaam net gebeurd was. Maar hij wist wat er gebeurd was: hij had een smeris tegen zich in het harnas gejaagd. Hij had zijn leven doorgebracht in de luchtdichte anonimiteit van een cocon, en zojuist was die cocon midden op straat opengebarsten.

De ambulancebroeders maakten zich op om Rardy's brancard in de wagen te tillen.

Bob vroeg: 'Komt Moira naar je toe?'

Rardy zei: 'Ik heb haar gebeld, ja.' Hij griste het bierblikje uit Marvs hand en sloeg het achterover. 'Het doet verdomme pijn als een gek, mijn hoofd. Als een gek.'

Ze tilden hem in de ambulance. Bob ving het lege blikje op dat Rardy nog naar buiten gooide, waarop de ziekenbroeders de achterdeuren sloten en wegreden.

Marv en Bob bleven met z'n tweeën achter in de plotselinge stilte.

'Mocht je zomaar het mooie jasje van die smeris aan, of moest je hem eerst nog in je tepels laten knijpen?'

Bob zuchtte.

Marv liet niet los. 'Waarom moest je hem verdomme over dat horloge vertellen?'

'Weet ik niet,' zei Bob, terwijl tot hem doordrong dat hij dat inderdaad niet wist. Hij had geen idee.

Marv zei: 'Nou, laten we dan hier en nu die stomme impuls van je in de kiem smoren, en voor de rest van je leven graag.' Hij stak een sigaret op en stampte met zijn voeten tegen de kou. 'We zijn vijfduizend en wat kleingeld lichter gemaakt. Maar Anwar en Makkhal hadden onze envelop al opgehaald, dus daar hang ik niet voor.'

'Dus we zijn oké.'

'We zijn getild voor vijfduizend,' zei Marv. 'Het is hun bar, hun geld. Nee, zo heel oké zijn we niet.'

Ze keken de steeg in. Ze rilden beiden van de kou. Na een tijdje gingen ze weer naar binnen.

4

De tweede stad

Op zondagochtend bracht Nadia het hondje naar zijn auto, waarin hij met draaiende motor voor haar huis zat te wachten. Ze gaf hem aan door het raam en zwaaide hen nog even na.

Hij keek naar de puppy op de zitting naast zich en werd plotseling door angsten overspoeld. Wat eet het? En wanneer? Zindelijk maken. Hoe doe je zoiets? Hoelang duurt het? Hij had dagen de tijd gehad om deze vragen te overdenken, dus waarom kwamen ze nu pas in hem op?

Hij trapte op de rem en reed een paar meter achteruit. Nadia, één voet op de onderste trede, kwam terug. Hij draaide het raampje aan de trottoirkant naar beneden en boog zich schuin over de zitting tot hij naar haar opkeek.

'Ik weet niet hoe het moet,' zei hij. 'Ik weet helemaal niks.'

In een supermarkt voor huisdieren zocht Nadia een stel kauwspeeltjes uit. Ze vertelde Bob dat hij niet zonder kon als hij zijn bank heel wilde houden. Je schoenen, zei ze tegen hem, die moet je voortaan ergens op een hoge plank uit de buurt houden. Ze kochten vitaminen – voor een hond! – en een zak puppyvoer van een merk dat zij aanraadde, met het dringende advies om van nu af aan alleen dit merk te kopen. Verander je een hond z'n dieet, waarschuwde ze, dan vraag je om plassen diarree op je tapijt.

Ze kochten een bench om hem in te doen voor als Bob op zijn werk was. Ze kochten een waterfles voor in de bench en een boek over het africhten van honden dat was geschreven door een paar monniken, die stoer, breed grijnzend en niet heel monnikachtig op het omslag stonden. Toen de caissière het allemaal bij elkaar optelde, voelde Bob een schokgolf door zijn lichaam gaan, een tijdelijke ontwrichting toen hij zijn portemonnee trok. Zijn keel gloeide. Zijn hoofd voelde wazig. En pas toen de schokgolf wegebde, de temperatuur in zijn keel daalde, zijn hoofd helder werd en hij zijn creditcard aan het meisje achter de kassa gaf, besefte hij juist door het plotselinge verdwijnen van het gevoel wat dat gevoel was: één moment – misschien zelfs een aantal opeenvolgende momenten, geen van alle uitgesproken genoeg om als oorzaak aan te wijzen – was hij gelukkig geweest.

'Nou, dank je wel,' zei ze, toen hij voor haar huis stopte.

'Hè? Nee, hoor. Jij bedankt. Alsjeblieft. Echt. Het... Jij bedankt.'

Ze zei: 'Deze kleine hier, dat is een goeie jongen. Daar zul je nog veel eer mee inleggen, Bob.'

Bob richtte zijn blik op de pup, die op haar schoot lag te slapen en lichtjes snurkte. 'Is dat wat ze doen? De hele tijd slapen?'

'Zo ongeveer. Dan rennen ze een minuut of twintig als een dolle in het rond. Dan slapen ze nog wat meer. En poepen. Bob, jongen, dat moet je vooral goed onthouden: ze poepen en pissen als een gek. Niet boos worden. Ze weten niet beter. Sla de boeken er maar op na. Het zal even duren, maar gauw genoeg krijgen ze door dat ze het niet binnen moeten doen.'

'Wat is gauw genoeg?'

'Twee maanden?' Ze hield haar hoofd schuin. 'Misschien drie. Heb geduld, Bob.'

'Heb geduld,' herhaalde hij.

'En jij ook,' zei ze tegen het hondje terwijl ze hem van haar schoot tilde. Hij werd snuffend en snuitend wakker. Hij wilde niet dat ze wegging. 'Pas goed op elkaar, jullie,' zei ze. Ze stapte uit, zwaaide nog even naar Bob toen ze haar trap op liep en ging naar binnen.

De puppy zat rechtop, met zijn blik omhoog naar het raam, alsof Nadia daar opnieuw zou verschijnen. Hij keek over zijn schouder naar Bob. Bob kon zijn verlatenheid voelen. Hij voelde zijn eigen verlatenheid. Hij wist zeker dat ze er een puinhoop van zouden maken, hij en deze wegwerphond. Hij wist zeker dat de wereld te sterk was.

'Hoe heet je?' vroeg hij het beest. 'Hoe gaan we je noemen?'

De puppy wendde zijn kop van hem af, als om te zeggen: haal dat meisje terug.

Het eerste wat hij deed was poepen in de eetkamer.

Bob had eerst niet eens in de gaten wat hij aan het doen was. Hij begon te snuffelen en met zijn neus over het kleed te schrapen, en keek toen half in verlegenheid op naar Bob. En Bob zei: 'Wat nou?' waarop de hond een flinke hoek van het kleed onder poepte.

Bob deed een haastige stap naar voren, alsof hij het kon tegenhouden, weer naar binnen duwen, maar de puppy holde weg, spetters achterlatend op de hardhouten vloer, en schoot de keuken in.

Bob zei: 'Nee, nee. Het geeft niet.' Maar het gaf wel. Bijna alles in huis was van zijn moeder geweest en verkeerde nog grotendeels in de staat waarin ze het had gekocht, in de jaren vijftig. En dat daar was stront. Uitwerpselen, waren het. In zijn moeders huis. Op haar kleed, haar vloer.

In de seconden die het hem kostte om de keuken te bereiken, had de puppy een plas gedaan op het linoleum. Bob gleed er bijna in uit. De puppy zat dicht tegen de koelkast aan naar hem te kijken, in bange afwachting van een tik, en probeerde niet te trillen.

En dat deed Bob stilstaan. Stilstaan, ook al wist hij dat hoe langer hij de poep op het kleed liet liggen, hoe lastiger het zou zijn om de vlek eruit te krijgen.

Bob liet zich op handen en knieën zakken. Plotseling voelde hij weer hetzelfde als wat hij had gevoeld toen hij de hond uit het vuilnisvat had getild, iets waarvan hij had gedacht dat het samen met Nadia verdwenen was. Verbinding. Hij dacht dat ze misschien door iets anders dan toeval bij elkaar waren gebracht.

Hij zei: 'Hé.' Het was nauwelijks meer dan gefluister. 'Hé, het geeft niet.' Eindeloos voorzichtig stak hij zijn hand uit, waarop de puppy nog dichter tegen de koelkast aan kroop. Maar Bob zette door en legde zijn hand zacht tegen de wang van het beestje. Hij maakte geruststellende geluidjes. Hij glimlachte naar hem. En hij zei: 'Het geeft niet,' telkens maar weer.

De laatste tijd was Evandro Torres gewoon rechercheur, maar daarvoor had hij iets voorgesteld. Gedurende één glansrijk jaar en precies drie maanden had hij op Moordzaken gezeten. Toen had hij het, zoals hij gewoonlijk deed met de goeie dingen in zijn leven, totaal verkloot en hij was teruggezet naar Diefstal en Roof.

Na afloop van de dienst ging zijn afdeling drinken in JJ's, en Moordzaken ging naar The Last Drop, maar zocht je iemand van Ernstige Delicten, die koesterden de aloude traditie van een borrel in hun auto bij het Pen-kanaal.

Daar trof Torres dus Lisa Romsey en haar partner, Eddie Dexter. Eddie was een magere, bleke man die, voor zover bekend, zonder vrienden of familie door het leven ging. Hij had de persoonlijkheid van een natte zandbak en deed zijn mond alleen open als hem iets gevraagd werd, maar hij was een wandelende encyclopedie op het gebied van de maffia in New England.

Lisa Romsey was van een compleet andere orde: de heetste en meest lichtgeraakte latina die ooit een pistool op haar heup had gedragen. De naam Romsey was een overblijfsel van haar tweejarige, rampzalige huwelijk met de officier van justitie, maar ze was hem blijven voeren omdat hij in deze stad nog altijd meer deuren opende dan sloot. Een paar jaar geleden had ze met Torres als partner in een speciale eenheid gezeten. Toen die opgeheven werd, ging zij naar Ernstige Delicten, waar ze bleef, en Torres naar Moordzaken, waar hij niet bleef.

Evandro trof hen aan in hun burgerwagen in de zuidelijke hoek van het parkeerterrein, ieder met een kartonnen Dunkin' Donutsbekertje aan de mond waaruit geen damp opsteeg. Hun wagen stond met de neus naar het kanaal, dus parkeerde Evandro in het naastgelegen vak, met de neus in tegengestelde richting, en rolde zijn raampje omlaag.

Romsey opende het hare, maar pas nadat ze hem met een blik had laten weten dat ze had overwogen het dicht te laten.

'Wat voor zonsondergangslaapmutsje is het vandaag?' vroeg Torres. 'Whisky of wodka?'

'Wodka,' zei Romsey. 'Bekertje bij je?'

'Kom ik pas kijken of zo?' Torres gaf haar een aardewerken koffiemok met de tekst WORLD'S #1 DAD erop. Romsey trok een wenkbrauw op vanwege dat opschrift, maar schonk wodka in de mok en gaf hem terug.

Ze namen alle drie een slok, terwijl Eddie Dexter door de voorruit tuurde alsof hij de zon probeerde te vinden in een hemel zo grijs als een gevangenismuur.

Romsey zei: 'Zeg het eens, Evandro.'

'Herinner jij je Marvin Stipler?'

Romsey schudde haar hoofd.

'Neef Marv?' zei Torres. 'Die werd, wat zal het zijn, negen, tien jaar geleden door de Tsjetsjenen uit zijn eigen gokdistrict gezet.'

Romsey zat nu te knikken. 'Ja, klopt, ja. Die lui dienden zich aan en zeiden tegen hem dat hij Tic Tac-ballen had. Daarna is hij tien jaar bezig geweest met bewijzen dat ze gelijk hadden.'

Torres zei: 'Precies, dat is hem. Gisternacht is zijn bar beroofd. En die bar staat op naam van een van Papa Umarovs mantelorganisaties.'

Romsey en Eddie Dexter wisselden een verbaasde blik, waarna Romsey zei: 'Welke achterlijke idioot gaat zo'n bar beroven?'

'Al sla je me dood. Zit Ernstige Delicten achter de Umarovs aan?'

Romsey schonk zichzelf nog eens in en schudde haar hoofd. 'We hebben de laatste bezuinigingsronde nauwelijks overleefd, wij gaan niet onze nek uitsteken om een of andere Rus te pakken van wie geen hond weet wie het is.'

'Tsjetsjenen.'

'Hè?'

'Het zijn Tsjetsjenen, geen Russen.'

'Zo, kom nog eens langs.'

Torres wees naar zijn trouwring.

Romsey trok een gezicht. 'Alsof jou dat ooit heeft tegengehouden.'

'Dus neef Marv, daar is niemand mee bezig?'

Romsey schudde haar hoofd. 'Als jij iets met hem wilt, Evandro, ga gerust je gang.'

'Dank je. Leuk om je weer te zien, Lisa. Je ziet er goed uit.'

Ze knipperde met haar ogen, stak haar middelvinger op en draaide haar raampje weer dicht.

De volgende ochtend lag de stad onder een deken van tien centimeter sneeuw. Het was pas een maand winter, en nu al hadden ze drie echte sneeuwstormen en een paar keer wat stuifsneeuw gehad. Als het in dit tempo doorging zouden ze in februari niet meer weten waar ze het moesten laten.

Bob en neef Marv waren ieder met een schep naar de voorkant van de bar vertrokken, hoewel Marv de zijne vooral gebruikte om op te leunen en zijn excuus ervoor verpakte in een oude knieblessure die niemand zich kon herinneren, alleen Marv.

Bob vertelde hem over zijn dag met de hond, over hoeveel die dierenspullen hem gekost hadden en hoe de hond een drol had gelegd op het kleed in de eetkamer.

Marv vroeg: 'Heb je de vlek uit het kleed gekregen?'

'Ik ben een heel eind gekomen,' zei Bob. 'Maar het is gelukkig een donker kleed.'

Marv staarde hem aan over de steel van zijn sneeuwschep. 'O, het is een donker... Dat is het kleed van je moeder. Ik ging er een keer met één schoen op staan – hij was niet eens vies – en toen kon je mijn voet er wel afhakken.'

Bob zei: 'Overdrijf niet zo,' waarmee hij zowel zichzelf als Marv verraste. Bob was er de man niet naar om kritiek te hebben op anderen, helemaal niet als die ander Marv was. Maar hij moest toegeven, het gaf een goed gevoel.

Marv herstelde genoeg om zijn kruis te grijpen en een luid kusgeluid te maken, waarna hij zijn schep een tijdje voor zich uit duwde en niet veel meer deed dan de sneeuw zo ver van het asfalt tillen dat de wind er vat op kon krijgen en de zooi alleen maar erger werd.

Langs de stoeprand stopten twee zwarte Cadillac Escalades en een witte bestelbus. De rest van de straat was zo goed als leeg om deze tijd van de dag, en Bob hoefde niet eens op te kijken om te weten wie er laat in de ochtend in een sneeuwbui langs zou komen in twee pas gewassen en gepoetste suv's.

Chovka Umarov.

'Steden,' had Bobs vader hem eens verteld, 'worden niet bestuurd vanuit het stadhuis. Die worden bestuurd vanuit de kelder. De eerste stad? De stad die je ziet? Dat zijn de kleren die ze het lichaam aantrekken om het er beter uit te laten zien. Maar de tweede stad ís het lichaam. Daar sluiten ze de weddenschappen af, verkopen ze de vrouwen en de drugs en het soort tv's en banken en spullen dat een arbeider zich kan veroorloven. De enige keren dat een arbeider van de eerste stad hoort is wanneer die hem een loer draait. Maar de tweede stad is overal om hem heen, elke dag van zijn leven.'

Chovka Umarov was de kroonprins van de tweede stad.

Chovka's vader, Papa Pytor Umarov, was de man die tegenwoordig aan de touwtjes trok, en die zijn macht weliswaar deelde met de oude Italiaanse en Ierse clubs, en onderaannemerdeals sloot met de zwarten en de Puerto Ricanen, maar op straat was men doordrongen van het kille feit dat als Papa Pytor besloot om onbeleefd te zijn en om het even welke van zijn compagnons te vermorzelen, niemand ook maar ene fuck kon uitrichten om hem tegen te houden.

Anwar kwam vanachter het stuur van de voorste suv, zijn ogen kil als jenever terwijl hij op het weer schold alsof Bob en Marv er de oorzaak van waren.

Chovka kwam van de achterbank van dezelfde Escalade. Hij trok zijn handschoenen aan en richtte zijn blik op de grond voor zijn voeten om te zien of er ijs lag. Chovka's haar en gesoigneerde baard waren van hetzelfde zwart als zijn handschoenen. Hij was niet groot en niet klein, niet dik en niet dun, maar zelfs met zijn rug naar hem toe straalde hij een energie uit die Bob jeuk bezorgde tot in de onderste regionen van zijn achterhoofd. *Hoe dichter bij Caesar*, was een geliefd gezegde van een van Bobs leraren op de middelbare school, *hoe groter de angst*.

Chovka bleef voor Bob en Marv staan, op een stukje stoep waar Bob al geschept had.

Chovka zei tegen de straat: 'Wie heeft er behoefte aan een sneeuwblazer als hij Bob heeft?' En toen tegen Bob: 'Misschien kom je straks ook even bij mij langs.'

Bob zei: 'Eh, natuurlijk,' omdat hij niets anders kon bedenken om te zeggen.

Het witte busje schommelde een beetje. Bob wist het zeker. De kant langs de stoeprand zakte wat en welk gewicht ook maar de oorzaak kon zijn geweest van dat zakken, het hervond zijn evenwicht in het midden, en het busje deed hetzelfde.

Chovka gaf Bob een klopje op zijn schouder. 'Gekheid, jongen. Wat een kerel, niet?' Hij glimlachte naar Anwar, toen naar Bob, maar toen hij Marv aankeek, werden zijn kleine zwarte ogen nog kleiner en zwarter. 'Zit je in de bijstand?'

Uit het busje klonk een gedempte bons. Het kon van alles zijn. Het busje begon opnieuw te schommelen.

'Wat?' vroeg Marv.

'Wat?' Chovka leunde achterover om Marv beter in zich te kunnen opnemen.

'Ik bedoel sorry.'

'Waarom zou je sorry zeggen?'

'Ik begreep uw vraag niet.'

'Ik vroeg of je in de bijstand zit.'

'Nee, nee.'

'Nee, ik heb 't je niet gevraagd?'

'Nee, ik zit niet in de bijstand.'

Chovka wees naar de stoep en toen naar hun scheppen. 'Bob doet al het werk. Jij kijkt toe.'

'Nee.' Marv begon wat te scheppen, gooide het rechts van hem op de bult. 'Ik schep wel.'

'Ja, hoor, jij schept.' Chovka stak een sigaret op. 'Kom eens hier.'

Marv wees met zijn vinger naar zijn eigen borst, een vragende blik in zijn ogen.

'Jullie allebei,' zei Chovka.

Hij nam ze mee over de stoep, het strooizout knisperde als glassplinters onder hun voeten. Achter het busje stapten ze op de weg, en Bob zag dat er iets uit de onderkant van het busje lekte wat leek op transmissievloeistof. Alleen lekte het op de verkeerde plek. En het had de verkeerde kleur en vloeibaarheid.

Chovka opende in één beweging beide deuren.

Twee Tsjetsjenen met de bouw van een vuilcontainer op voeten zaten aan weerszijden van een bezwete, magere man. De magere man zag eruit als een bouwvakker: blauw geruit shirt boven een spijkerbroek. Ze hadden een katoenen sjaal in zijn mond gepropt en een vijftien centimeter lange metalen bout door de wreef van zijn blote rechtervoet geboord. Rechts ernaast lag de gekantelde schoen, met de sok er half uit. Het hoofd van de man was voorovergezakt, maar een van de Tsjetsjenen trok hem op aan zijn haar en duwde hem een klein donkergeel flesje onder de neus. De man kreeg een flinke snuif binnen, waarop zijn hoofd opveerde, zijn ogen zich opensperden en hij weer klaarwakker was terwijl de andere Tsjetsjeen het boorijzer in een drilboor aandraaide.

'Kennen jullie deze vent?' vroeg Chovka.

Bob schudde zijn hoofd.

Marv zei: 'Nee.'

Chovka zei: 'Maar ik ken hem wel. Hoelang ik hem ken? Ik ken hem. Ik probeer hem uit te leggen dat als hij bij mij komt om zaken met me te doen, dat hij dan wel een moreel kompas moet hebben. Toch, Bob? Begrijp je?'

'Een moreel kompas,' zei Bob. 'Natuurlijk, meneer Umarov.'

'Een man met een moreel kompas weet wat hij weet en weet wat er gebeuren moet. Hij weet hoe hij zijn zaken op orde houdt. Maar een man zonder moreel kompas weet niet wat hij niet weet, en je kunt het hem met geen mogelijkheid uitleggen. Want als hij wist wat hij niet wist, zou hij een moreel kompas hebben.' Hij keek Marv aan. 'Begrijp je?'

'Ja,' zei Marv. 'Volkomen.'

Chovka trok een grimas. Hij rookte wat.

In het busje begon de bouwvakker licht te jammeren, en de Tsjetsjeen aan zijn linkerkant mepte hem op zijn achterhoofd tot hij ophield.

'Had iemand niet mijn bar beroofd?' richtte Chovka zich tot Bob.

'Ja, meneer Umarov.'

Chovka zei: '"Meneer Umarov" zeg je tegen mijn vader, Bob. Tegen mij is het Chovka, hè?'

'Chovka. Ja meneer.'

'En wie heeft onze bar beroofd?'

'Dat weten we niet,' zei neef Marv. 'Ze waren gemaskerd.'

Chovka zei: 'Stond in het politieverslag niet dat een van die lui een kapot horloge om had? Heb jij dat verteld?'

Marv keek omlaag naar zijn schep.

Bob zei: 'Dat zei ik, zonder erbij na te denken. Het spijt me verschrikkelijk.'

Chovka liet zijn blik over de bouwvakker gaan, rookte – niemand zei een woord.

Toen vroeg Chovka aan Marv: 'Wat heb je gedaan om mijn vaders geld terug te krijgen?'

'We hebben het uitgezet in de buurt.'

Chovka keek naar Anwar. 'Het is uitgezet in de buurt, net als ons geld.'

De man in het busje deed het in zijn broek. Ze hoorden het allemaal, en allemaal deden ze alsof ze het niet hoorden.

Chovka sloot de deuren van het busje. Hij bonsde twee keer met zijn vuist op de deur, waarop het busje de weg op draaide en verdween.

Hij richtte zich tot Bob en Marv. 'Zie dat jullie ons geld terugkrijgen.'

Chovka stapte weer in de Escalade. Anwar hield even stil bij het portier, keek Bob aan en wees naar een sneeuwplek die hij had overgeslagen. Hij stapte achter zijn baas aan in de suv en beide Escalades reden weg.

Neef Marv zwaaide naar ze toen ze bij het stoplicht kwamen en rechts afsloegen. 'En jullie ook nog een gelukkig nieuwjaar, heren.'

Bob schepte een tijdje zonder iets te zeggen. Marv leunde op zijn schep en keek naar de straat.

'Die gast in het busje,' zei Marv. 'Ik wil nooit van mijn leven ook maar een woord over hem hoeven zeggen of aanhoren. Afgesproken?'

Bob wilde het ook niet over hem hebben. Hij knikte.

Na een poosje zei Marv: 'Hoe zouden wij hun geld in godsnaam moeten terugvinden? Als we wisten waar het was, dan zou dat betekenen dat we wisten wie ons beroofd had, wat zou betekenen dat we in de deal zaten, wat zou betekenen dat ze ons voor onze flikker schieten. Dus, hoezo zouden wij dat geld vinden?'

Bob bleef scheppen, want het was het soort vraag waarop geen antwoord mogelijk was.

Marv stak een Camel op. 'Klote-Tsjetsjeniërs, godsamme.'

Bob onderbrak zijn geschep. 'Tsjetsjenen.'

'Wat?'

'Het zijn Tsjetsjenen,' zei Bob, 'geen Tsjetsjeniërs.'

Marv geloofde het niet. 'Maar ze komen uit Tsjetsjenië.'

Bob haalde zijn schouders op. 'Ja, maar mensen uit Roemenië noem je ook geen "Roemeniërs".'

Ze stonden nu beiden over hun schep geleund naar de straat te turen, totdat Marv voorstelde om weer naar binnen te gaan. Het was koud, zei hij, en hij verging van de pijn in die rotknie van hem.

5

Neef Marv

Eind 1967, toen de goede burgers van Boston Kevin White als burge-
meester kozen, werd neef Marvs stem zo prachtig bevonden dat
ze Marv uit zijn klas plukten om te zingen tijdens de inauguratie.
's Ochtends ging hij gewoon naar school. Maar 's middags, na de
lunchpauze, werd hij opgehaald met een busje om aan de andere
kant van de stad te oefenen met een jongenskoor in de Old South
Church, in Back Bay. De Old South Church stond in Boylston
Street, nummer 645 – Marv zou dat adres de rest van zijn leven niet
meer vergeten –, en stamde uit 1875. Hij was gelegen aan een plein
schuin tegenover de Trinity Church, nog zo'n architectonisch
meesterwerk, op een steenworp afstand van de openbare biblio-
theek en het Copley Plaza Hotel, vier zulke indrukwekkende gebouwen dat wanneer de kleine Marv daarbinnen was, al was het in de
kelderverdieping, hij zich dichter bij de hemel waande. Dichter bij
de hemel, dichter bij God of de engelen en andere geesteswezens die
in de randen van oude schilderijen zweefden. Marv herinnerde zich
dat hij als koorknaap zijn eerste volwassen inzicht kreeg: dat je
dichter bij God voelen iets te maken had met je dichter bij kennis
voelen.

Toen gooiden ze hem uit het koor.

Een van de jongens, Chad Benson, ook een naam die Marv van
zijn leven niet meer zou vergeten, beweerde dat hij Marv in de gar-
derobe een Mars uit de schooltas van Donald Samuel had zien pik-
ken. Hij beweerde dat in het bijzijn van het hele koor, terwijl de diri-
gent en begeleiders met z'n allen beneden waren voor een pispauze.
Chad zei dat ze allemaal best wisten dat Marv arm was, maar dat als

hij weer iets te eten wilde hij er gewoon om kon vragen, en dan zouden ze hem hun barmhartigheid tonen. Marv zei tegen Chad Benson dat hij niet zo dom moest lullen. Chad maakte Marv belachelijk omdat hij niet goed uit z'n woorden kwam en een kleur kreeg. Toen noemde Chad Marv een stomme uitkeringstrekker en vroeg of zijn kleren uit de koopjeskelder van Quincy kwamen, en of zijn hele familie daar hun spullen kocht of alleen hij en zijn moeder. Daarop sloeg Marv Chad Benson zo hard op zijn gezicht dat de krak door het hele godshuis galmde. Toen Chad op de vloer viel, klom Marv boven op hem, greep hem bij zijn haren en diende hem nog twee vuistslagen toe. Bij de daaropvolgende stomp liet Chads netvlies los. Niet dat die verwonding, hoewel op zich ernstig genoeg, er in het grote geheel iets toe deed: Marv was de klos op het moment dat hij het rotjoch zijn eerste klap uitdeelde. De Chad Bensons van deze wereld, leerde hij die dag, waren niet bedoeld om te slaan of zelfs maar tegen te spreken. En zeker niet door de Marvin Stiplers van deze wereld.

Tijdens de 'uitzettingsprocedure' gaf de koormeester, Ted Bing, hem nog een trap na toen hij Marv vertelde dat, naar zijn deskundige oordeel, Marvs stem op zijn negende op zijn best zou zijn.

Marv was acht.

Hij mocht niet eens met de rest van het koor mee in de bus. Ze gaven hem geld voor de metro, en hij nam de Red Line onder de stad door terug naar East Buckingham. Pas toen hij van het station naar zijn huis liep begon hij aan de Mars van Donald Samuel. Het was het lekkerste dat hij ooit – tot dan toe en sindsdien – had geproefd. Het lag niet alleen aan de chocola, heel licht gesmolten, maar ook aan de volle, romige bijsmaak van zelfmedelijden die al zijn smaakpapillen prikkelde en zijn hart streelde. Om je gerechtvaardigd woedend en tegelijkertijd op treurige wijze geslachtofferd te voelen, dat was – en dit wilde Marv slechts heel zelden aan zichzelf toegeven – beter dan enig orgasme in de geschiedenis van het neuken.

Geluk maakte Marv onrustig, omdat hij wist dat het niet zou duren. Maar verwoest geluk, daar sloeg je graag je armen omheen, omdat het altijd terug knuffelde.

Op zijn negende kreeg hij de baard in de keel, precies zoals die eikel van een Ted Bing had voorspeld. Zingen in een koor was er voor Marv niet meer bij. De rest van zijn leven zou Marv als het even kon het centrum van de stad mijden. Weerspiegeld in de oude gebouwen die ooit zijn goden waren zag hij alle versies van zichzelf die hij nooit geworden was.

Na het bezoek van Chovka met zijn rijdende Guantanamo Bay en zijn schofterige ogen en zijn schofterige houding, had Marv de rest van de stoep schoon geschept, pijnlijke knie of geen pijnlijke knie, terwijl Bob goddomme niets had gedaan dan toekijken en waarschijnlijk een eind wegdromen over de hond waar hij zo vol van was dat je bijna geen normaal woord meer met hem kon wisselen. Ze waren naar binnen gegaan, en ja hoor, Bob was weer losgebarsten over zijn hond. Marv had niet laten merken hoe doodsaai hij het vond omdat het, eerlijk gezegd, mooi was om Bob eens ergens zo enthousiast over te horen.

Bobs makke in het leven was niet alleen dat hij was grootgebracht door twee oude, eenvoudige ouders zonder veel vrienden of familie. Zijn echte makke was dat die ouders hem in de watten hadden gelegd en zo volledig verstikt in hun wanhopige liefde (die te maken had, vermoedde Marv, met hun eigen ophanden zijnde uittrede uit het rijk der levenden), dat Bob nooit goed had geleerd te overleven in een mannenwereld. Bob, en dat zou een verrassing zijn voor velen die hem nu kenden, kon behoorlijk beangstigend overkomen als je de verkeerde schakelaar omzette in dat trage brein van hem, maar een ander deel van hem hongerde zo naar liefkozing dat het dat vermogen om hard uit te halen als hij maar genoeg in het nauw gedreven werd, volledig verlamde.

Nu had hij de aandacht van de Tsjetsjeense maffia op hen gevestigd omdat hij zo stom was geweest een smeris van gratis informatie te voorzien. En niet eens de eerste de beste smeris, zoals bleek. Een die hij kende. Uit de kerk.

De Tsjetsjeense maffia. Die hen in de gaten hield. Omdat Bob zwak was.

Marv kwam vroeg thuis die avond. Er was niet veel te doen in de bar, en het had geen zin om te blijven plakken als hij Bob betaalde om, nou ja, verdomme gewoon z'n werk te doen. In de bijkeuken bleef hij staan om zijn jas en handschoenen uit te doen en zijn pet en sjaal op te hangen – die rotwinter was één groot stom excuus om meer zooi aan te trekken dan iemand op Hawaï ooit voor mogelijk zou houden.

Dottie riep vanuit de keuken. 'Ben jij dat?'

'Ja, wie anders?' riep hij terug, ook al had hij zich voorgenomen in het nieuwe jaar aardiger te zijn tegen zijn zus.

'Nou, zo'n jongen die je een abonnement op een tijdschrift wil aanpraten omdat hij bezig is zich uit het getto omhoog te werken.'

Hij zocht de haak voor zijn pet. 'Zou die dan niet bij de voordeur aanbellen?'

'Ze kunnen je keel doorsnijden.'

'Wie?'

'Die jongens.'

'Met een tijdschrift... Dan pakken ze zo'n, hoe heet dat, zo'n katern, en laten je doodbloeden door een jaap met een stuk papier, zeker.'

'Je biefstuk ligt in de pan.'

Hij hoorde het ding sissen. 'Kom eraan.'

Hij schopte zijn rechterschoen uit met behulp van de linker, maar moest vervolgens de linker met de hand uitdoen. Hij was donker op de neus. Eerst dacht hij dat het van de sneeuw kwam.

Maar nee, het was bloed.

Hetzelfde bloed dat ook uit die gast z'n voet was gelopen, door het gat in de bodem van het busje en op straat.

Had de weg naar Marvs schoen gevonden.

Die Tsjetsjenen, man. Die klote-Tsjetsjenen.

Geven een domme man reden tot nadenken. Geven een slimme man reden tot plannen maken.

Toen hij de keuken binnenging zei Dottie, in haar schort en pluizige elandpantoffels, haar ogen gericht op de pan: 'Je ziet er moe uit.'

'Je hebt niet eens gekeken.'

'Gisteren heb ik gekeken.' Ze schonk hem een vermoeide glimlach. 'Nu kijk ik naar je.'

Marv pakte een biertje uit de ijskast en probeerde het beeld van die gast z'n voet van zich af te zetten, en van die zieke Tsjetsjeen naast hem die zijn boor aandraaide.

'En?' vroeg hij aan Dottie.

'Je ziet er moe uit,' zei ze opgewekt.

Na het eten verdween Dottie naar de voorkamer om naar haar serie te kijken. Marv ging naar de sportschool in Dunboy Street. Hij had al een biertje te veel op om goed te trainen, maar hij kon altijd nog naar de sauna.

Om deze tijd van de avond was er niemand in de sauna – in de hele sportschool was eigenlijk nauwelijks iemand te bekennen – en toen Marv eruit kwam voelde hij zich een stuk beter. Hij voelde zich bijna alsof hij getraind had, en zo verliep het, nu hij erbij stilstond, meestal als hij naar de sportschool ging.

Hij ging onder de douche en ergens speet het hem dat hij geen biertje mee naar binnen had gesmokkeld, want niets was zo lekker als een koud biertje onder een hete douche na een training. Toen hij klaar was, kleedde hij zich aan bij zijn kluisje. Bij een volgend kluisje stond Ed Fitzgerald loom aan het slot te rommelen.

'Ik hoor dat ze woest zijn,' zei Fitz.

Marv stapte in zijn corduroy broek. 'Het zou ook raar zijn als ze blij waren. Ze zijn beroofd.'

'Eng woest, op z'n Tsjetsjeens woest.' Fitz snufte en Marv was er behoorlijk zeker van dat dat niet van de kou kwam.

'Nee, dat zal wel loslopen. Voor jullie ook. Hou je gewoon gedeisd. Jij en je broer.' Hij keek Fitz aan terwijl hij zijn veters strikte. 'Wat is er met zijn horloge?'

'Hoezo?'

'Het ding loopt niet, zag ik.'

Fitz keek ongemakkelijk. 'Nooit gedaan ook. Het was een cadeautje van pa voor zijn tiende verjaardag. Maar een dag later of zo hield het er al mee op. Pa kon er niet mee terug omdat hij het ding gewoon gestolen had. "Niet zeuren," zei hij dan tegen Bri, "twee keer per dag heeft hij het goed." Bri gaat nergens heen zonder dat ding.'

Marv knoopte zijn shirt dicht over zijn hemd. 'Laat hem een nieuw horloge kopen.'

'Wanneer pakken we een tent waar echt de verzamelde poet is? Ik hou er niet van om mijn leven, mijn vrijheid, mijn, nou ja, mijn wat dan ook, te riskeren voor een schlemielige vijfduizend.'

Marv sloot zijn kluisje af en hield zijn jas over zijn arm. 'Laten we er eens van uitgaan dat ik geen klootzak zonder een plan ben. Als er een vliegtuig neerstort, wat zou dan de veiligste maatschappij zijn voor als je de volgende dag wou vliegen?'

'Die met dat ongeluk.'

Marv trok een brede, zelfingenomen grijns. 'Alsjeblieft.'

Fitz liep achter hem aan de kleedruimte uit. 'Ik begrijp geen woord van wat je zegt. Het is net of je Braziliaans praat.'

'Brazilianen spreken Portugees.'

'O ja?' zei Fitz. 'Ze kunnen me wat.'

6

Kruisweg

Nadat alle kerkgangers van de mis van zeven uur achter elkaar naar buiten waren gelopen, inclusief inspecteur Torres die Bob in het voorbijgaan onmiskenbaar een minachtende blik toewierp, en nadat pastoor Regan zich had teruggetrokken in de sacristie om zich te verkleden en de miskelken af te wassen (een klusje dat ooit aan de koorknapen werd overgelaten, maar koorknapen voor de mis van zeven uur waren niet meer te krijgen), was Bob in zijn bank blijven zitten. Hij zat niet precies te bidden, maar voelde zich wel omsloten door de stille rust die je buiten een kerk zelden tegenkwam en hij dacht na over een enerverend verlopen week. Bob kon zich hele jaren herinneren waarin hem niets was overkomen. Jaren waarin hij zijn ogen had opgeslagen in de verwachting dat er maart op de kalender zou staan, om in plaats daarvan november te zien. Maar de afgelopen zeven dagen had hij de hond gevonden (vooralsnog zonder naam), had hij Nadia ontmoet, was hij beroofd onder bedreiging van een geweer, had hij de hond geadopteerd en had hij bezoek gehad van een gangster die mannen mishandelde in een bestelbus.

Hij keek omhoog naar het gewelfde plafond. Hij keek naar het marmeren altaar. Hij keek naar de kruiswegstaties, stuk voor stuk precies in het midden tussen twee gebrandschilderde heiligen. De kruisweg, elke statie een beeld dat Christus' laatste reis in de wereld van het tijdelijke weergaf, van de veroordeling tot het kruis tot de graflegging. De veertien staties stonden de hele kerk rond. Bob had ze uit zijn hoofd na kunnen tekenen, als hij een beetje had kunnen tekenen. Hetzelfde gold voor de gebrandschilderde heiligen, te beginnen bij de heilige Dominicus, natuurlijk, de beschermheilige van hoopvolle moeders, niet te verwarren met de andere heilige Dominicus, beschermheilige van de valselijk beschuldigden en stichter van de Dominicaanse Orde. De meeste parochianen van de Saint Dominic's Church wisten niet dat er twee heilige Dominicussen waren, en als ze het wisten, hadden ze geen idee naar welke van de twee hun kerk was vernoemd. Bob wist het. Zijn vader, vele jaren misdienaar in deze kerk en de vroomste man die Bob ooit had gekend, had het natuurlijk geweten, en de kennis aan zijn zoon doorgegeven.

Dat had je me niet verteld, pa, dat er mannen op de wereld zijn die honden mishandelen en voor dood achterlaten in ijzige vuilcontainers, of mannen die andere mannen een bout door hun voet boren.

Dat hoefde ik je niet te vertellen. Wreedheid is ouder dan de Bijbel. Barbaarsheid klopte zich al de eerste zomer van de mensheid op de borst en is dat blijven doen, tot op de dag van vandaag. Het slechtste in de mens is alledaags. Het beste is veel zeldzamer.

Bob liep langs de staties. De kruisweg. Hij bleef staan bij de vierde, waar Jezus zijn moeder ontmoette terwijl Hij het kruis de berg op droeg, de doornenkroon op Zijn hoofd, twee centurions achter zich met hun zwepen, klaar om die te gebruiken, om Hem weg te jagen van Zijn moeder, om Hem de berg op te dwingen, waar ze Hem aan het kruis zouden nagelen dat ze Hem zelf naar boven hadden laten torsen. Hadden die centurions daar later in hun leven voor moeten boeten? Was boetedoening zelfs maar mogelijk?

Of waren sommige zonden gewoon te groot?

De kerk zei van niet. Wanneer er in voldoende mate sprake was van berouw en spijt, zei de kerk, zou God vergeving schenken. Maar de kerk was een verklarende instantie, en niet altijd volmaakt. Dus wat als de kerk het, in dit geval, fout had? Wat als sommige zielen nooit konden worden teruggehaald uit de inktzwarte krochten van hun zonde?

Als de hemel beschouwd moest worden als een voorbehouden bestemming, dan moest de hel wel twee keer zoveel zielen bevatten.

Bob had niet eens in de gaten dat hij zijn hoofd had laten zakken, tot hij weer opkeek.

Links van de vierde statie was de heilige Agatha, beschermvrouwe van onder anderen verpleegsters en bakkers, en rechts was de heilige Rochus, beschermheilige van alleenstaanden, pelgrims en...

Bob deed een stap achteruit in het gangpad voor een beter zicht op een gebrandschilderd raam waar hij al zo vaak was langsgelopen dat hij er blind voor was geworden. En daar, in de rechterbenedenhoek van het raam, met de blik omhoog naar zijn heilige en meester, zat een hond.

Rochus, beschermheilige van alleenstaanden, pelgrims en...

Honden.

'Rochus,' zei Nadia toen hij het haar vertelde. 'Ja... mooi. Dat is een prima naam.'

'Vind je? Ik had hem bijna Cassius genoemd.'

'Waarom?'

'Omdat ik dacht dat het een boxer was.'

'En?'

'Cassius Clay,' legde hij uit.

'Was dat een bokser?'

'Ja. Later noemde hij zich Muhammad Ali.'

'Van hem heb ik wel gehoord,' zei ze, en plotseling voelde Bob zich toch niet zo heel oud. Maar toen zei ze: 'Hebben ze geen grillrestaurant naar hem genoemd?'

'Nee, dat is iemand anders.'

Bob, Nadia en de pas gedoopte Rochus wandelden over het pad langs de rivier in Pen' Park. Nadia kwam soms langs na haar werk, waarna zij en Bob samen de hond uitlieten. Bob wist dat er iets een beetje vreemd was aan Nadia – dat hij de hond zo vlak bij haar huis had gevonden en dat zij daar nauwelijks verbaasd over was geweest en er niet over had doorgevraagd was Bob niet ontgaan – maar was er iemand, één mens op deze hele planeet, die niet een beetje vreemd was? Wel meer dan een beetje, in de meeste gevallen. Nadia kwam om hem te helpen met de hond, en Bob, die weinig vriendschap had gekend in zijn leven, pakte wat hij krijgen kon.

Ze leerden Rochus zit en lig en poot en dood. Bob las het hele boek van de monnik en hield zich aan alle adviezen. De puppy werd ontwormd en door de dierenarts genezen van de kennelhoest voor die de kans kreeg om echt los te barsten. Hij kreeg zijn inenting tegen hondsdolheid en zijn parvovaccinatie, en hij werd grondig onderzocht op ernstig letsel aan zijn kop. Alleen een flinke kneuzing, zei de dierenarts, alleen een paar flinke kneuzingen. Hij werd geregistreerd. Hij groeide als kool.

Nu gaf Nadia ze samen les in 'aan de voet'.

'Oké, Bob, nu plotseling blijven staan en het zeggen.'

Bob bleef staan en trok aan de riem om Rochus bij zijn linkervoet te laten zitten. Rochus zwaaide half om aan de riem. Toen maakte hij een draai. Toen ging hij op zijn rug liggen.

'Voet. Nee, Rochus. Voet.'

Rochus ging zitten. Hij staarde Bob aan.

'Mooi,' zei Nadia. 'Niet slecht, niet slecht. Tien stappen doorlopen en dan opnieuw.'

Bob en Rochus liepen het pad af. Bob bleef staan. 'Voet.'

Rochus ging zitten.

'Goed zo.' Bob gaf hem iets lekkers.

Ze liepen nog tien stappen, probeerden het opnieuw. Deze keer maakte Rochus een sprong tot Bobs heup, landde op zijn zij en rolde een paar keer over zijn rug.

'Voet,' zei Bob. 'Voet.'

Ze liepen weer tien meter, en toen ging het goed.

Probeerden het opnieuw. En nu niet.

Bob keek naar Nadia. 'Daar gaat tijd in zitten, toch?'

Nadia knikte. 'Bij de een duurt het langer dan bij de ander. Bij jullie twee? Wel een tijdje, denk ik.'

Even later liet Bob Rochus vrij, en de puppy schoot het pad af naar de bomen, holde heen en weer tussen de stammen die het dichtst bij het pad stonden.

'Hij gaat niet ver bij je vandaan,' zei Nadia. 'Zie je dat? Hij houdt jou in het oog.'

Bob bloosde van trots. 'Hij slaapt op mijn been als ik tv-kijk.'

'O ja?' Nadia lachte. 'En nog steeds kleine ongelukjes in huis?'

Bob zuchtte. 'Och, ja.'

Een meter of honderd verder in het park hielden ze stil bij de toiletten. Nadia ging naar de dames en ondertussen deed Bob Rochus weer aan de riem en gaf hem nog iets lekkers.

'Leuke hond.'

Bob keek om en zag een jonge vent langslopen. Lang dun haar, lang slungelig lijf, bleke ogen, klein zilveren ringetje in zijn linkeroorlel.

Bob knikte naar hem en glimlachte dankbaar.

De jongen bleef een paar meter verderop op het pad staan en zei: 'Leuke hond is dat.'

'Dank je,' zei Bob.

'Een knáppe hond.'

Bob richtte zijn blik op de jongen, maar die had zich al omgedraaid en liep weg. Hij trok een capuchon over zijn hoofd en wandelde verder, met zijn handen in zijn zakken en zijn schouders opgetrokken tegen het gure weer.

Nadia kwam uit de dames en las iets op Bobs gezicht.

'Wat is er?'

Bob knikte met zijn kin in de richting van het pad. 'Die vent daar bleef maar zeggen dat Rochus zo'n mooie hond was.'

Nadia zei: 'Rochus is ook een mooie hond.'

'Jawel, maar...'

'Maar wat?'

Bob haalde zijn schouders op en liet het gaan, hoewel hij wist dat er meer aan de hand was. Hij voelde het – iets in het weefsel van de wereld had zojuist een scheur opgelopen.

Tegenwoordig moest Marv ervoor betalen.

Na zijn halfuur met Fantasia Ibanez ging hij weer naar huis. Eens per week zocht hij Fantasia op in haar achterkamer in het bordeel dat Betsy Cannon runde in een van de oude directeursvilla's op de heuvel in The Heights. De huizen daar waren allemaal gebouwd in laatnegentiende-eeuwse empirestijl, in de tijd dat de gevangenis de grootste werkgever was in East Buckingham. De gevangenis was er al lang niet meer; het enige wat nog restte waren de namen: Pen' Park, Justice Lane, Probation Avenue en de oudste bar in de buurt, The Gallows.

Marv liep de heuvel af naar de Flats en verbaasde zich over hoe warm het vandaag was geworden, een graad of tien, tot een eind in de avond zelfs. De goten borrelden van het stromende sneeuwwater, afvoerpijpen spuwden een grijzige vloeistof op de stoep en de houten huizen vertoonden vochtplekken, alsof ze de hele middag hadden staan zweten.

Toen zijn huis in zicht kwam, vroeg hij zich af hoe hij een man geworden was die samenwoonde met zijn zus en moest betalen voor seks. Die middag had hij zijn vader opgezocht, Marv sr., en hem een stapel leugens verteld, ook al had de oude man geen idee dat hij zelfs maar in de kamer was. Hij zei tegen zijn vader dat hij had geprofiteerd van de overspannen onroerendgoedmarkt en de beperkte beschikbaarheid van drankvergunningen in de stad en dus verkocht had, dat hij Cousin Marv's Bar voor een vermogen van de hand had gedaan. Voldoende om zijn vader in een echt goed tehuis te plaatsen, misschien dat Duitse tehuis in West Roxbury, als hij de juiste mensen wat geld zou toestoppen. En nu kon hij dat gaan doen. Zodra de hele papierwinkel was getekend en de bank het geld had vrijgegeven – 'Je weet hoe banken zijn, pa, ze blijven er zo lang op zitten dat je op het laatst gaat lopen smeken om je eigen geld' – kon Marv weer voor de familie zorgen, net als in zijn gloriedagen.

Behalve dat in die tijd zijn vader geen geld van hem had willen aannemen. Die ouwe was irritant als de pest in dat soort dingen en vroeg Marv in zijn verhaspelde Amerikaans (Stipler was een amerikanisering, en niet eens een heel goede, van Stepanski) waarom hij niet op een eerlijke manier aan de kost kon komen, net als zijn vader, zijn moeder en zijn zus.

Marvin sr. was schoenlapper geweest, zijn vrouw had dertig jaar in een wasserette gewerkt en Dottie zat op kantoor bij een grote verzekeraar. Marv zou nog liever zijn pik verpatsen aan de wetenschap dan de rest van zijn leven een slavenbaantje te hebben voor een slavenloon. En dan op het eind terugkijken en jezelf afvragen: wat is er in hemelsnaam gebeurd?

Maar toch, ondanks die onenigheid: hij hield van zijn vader, en zelf hoopte hij graag dat het wederzijds was. Ze waren samen naar menige honkbalwedstrijd geweest en eens per week hielden ze zich redelijk staande op de bowlingbaan, waar die ouwe een haarfijn gevoel had voor de 7-10 split. Toen kwam de beroerte, een jaar later gevolgd door de hartaanval, drie maanden later gevolgd door een tweede beroerte. Nu zat Marvin Stipler Senior in het schemerdonker in een muffe kamer, en niet het soort muf dat je kende van vochtige muren, maar het soort muf van mensen die het niet lang meer zouden maken. Marv wilde de hoop niet opgeven dat de oude man ergens daarbinnen nog aanwezig was en dat hij terug zou komen. En niet gewoon zomaar terugkomen, maar met een sprankeling in zijn ogen. Er waren wel vreemdere dingen gebeurd in deze wereld. De kunst was om de hoop niet op te geven. De hoop niet op te geven, wat geld te regelen en hem in een tehuis te doen waar ze in wonderen geloofden en niet in opbergen.

Thuis pakte hij een biertje, een wodka en zijn asbak en voegde zich bij Dottie in de kleine voorkamer, waar de tv stond, met de relaxfauteuils ervoor. Dottie was bezig zich door een kom roomijs heen te werken. Ze zei dat het haar tweede was, waardoor Marv wist dat het haar derde moest zijn, maar wie was hij om haar zulke pleziertjes te misgunnen? Hij stak een sigaret op en staarde naar een commercial over gemotoriseerde vloervegers; die kleine rotdingen reden zoemend over de vloeren van een huisvrouw met te grote tanden – net als sommige apparaten in sciencefictionfilms die zich op een kwaad moment tegen jou keerden. Marv vermoedde dat de tandenrijke huisvrouw binnenkort een kast zou openen en daarin een paar kleine robots zou betrappen die fluisterend in overleg waren over hun samenzwering. En dan zou zij het eerste slachtoffer zijn wanneer die pestdingen haar bij kop en kont pakten en aan flarden knabbelden.

Marv had veel van dit soort gedachten. Ooit, bleef hij zichzelf voorhouden, moest hij ze eens opschrijven.

Toen *American Idol* weer begon, draaide Dottie zich in haar fauteuil naar hem toe en zei: 'Wij zouden mee moeten doen.'

'Je kunt niet zingen,' hielp hij haar herinneren.

Ze zwaaide met haar lepel. 'Nee, die andere – waarin mensen de hele wereld over reizen op zoek naar aanwijzingen en zo.'

'The Amazing Race?'

Ze knikte.

Marv gaf haar een klopje op haar arm. 'Dottie, je bent mijn zus, en ik hou van je, maar met mijn sigaretten en jouw ijs, ik voorspel je, die lui zullen naast ons moeten mee hollen met een defibrillator en van die schokplaten. En dan is het om de tien passen: bzzt! bzzt!'

Dotties lepel schraapte over de bodem van haar kom. 'Het zou leuk zijn. We zouden dingen zien.'

'Wat voor dingen?'

'Andere landen, andere gewoontes.'

Toen besefte Marv ineens dat als ze inderdaad de bar beroofden die als loket dienstdeed, hij het land wel uit zou moeten! Geen ontkomen aan. Jezus. Afscheid nemen van Dottie? Niet eens afscheid nemen. Gewoon gaan. Man, godskolere, de wereld eiste wel een hoop van een man met plannen.

'Ben je bij pa geweest vandaag?'

'Ja, even.'

'Ze willen hun geld hebben, Marv.'

Marv keek om zich heen. 'Wie?'

'Het tehuis,' zei Dottie.

'Ze krijgen hun geld.' Marv doofde zijn sigaret en blies abrupt uit. 'Ze krijgen hun geld.'

Dottie zette haar kom op het bijzettafeltje tussen hen in. 'Maar nu was het een incassobureau dat belde, en niet het tehuis. En weet je? Er wordt bezuinigd op de gezondheidszorg. Ik ga met pensioen... Straks sturen ze hem weg.'

'Waarheen?'

'Een mindere plek.'

'Bestaat die dan?'

Ze keek hem angstvallig aan. 'Misschien wordt het tijd.'

Marv stak een sigaret op, ook al was zijn keel nog rauw van de vorige. 'Maak hem gewoon dood, bedoel je. Onze vader. Hij is een sta-in-de-weg.'

'Hij is dood, Marv.'

'O ja? Wat zijn die bliepjes dan die uit dat apparaat komen? Die golven op het scherm van dat apparaat? Dat is leven.'

'Dat is elektriciteit.'

Marv sloot zijn ogen. Het donker was warm, verwelkomend. 'Vandaag hield ik zijn hand tegen mijn gezicht.' Hij opende zijn ogen en keek zijn zus aan. 'Ik kon zijn bloed horen.'

Ze zwegen een hele poos, en toen Dottie ten slotte haar keel schraapte en haar mond opendeed, was *American Idol* overgegaan in een nieuw reclameblok.

'Ik ga in een volgend leven wel naar Europa,' zei ze.

Marvs blik kruiste de hare, en hij knikte bij wijze van dank.

Na een poosje gaf hij haar een klopje op haar been. 'Wou je nog wat chocolade-ijs?'

Ze gaf hem de kom.

7

Deeds

Toen Evandro Torres vijf jaar oud was, had hij vastgezeten in het reuzenrad op Paragon Park, in Nantasket Beach. Zijn ouders hadden hem in zijn eentje een ritje laten maken. Tot op de dag van vandaag begreep hij niet wat hun in godesnaam bezield kon hebben, noch waarom het personeel van het pretpark een vijfjarige in zijn eentje had laten instappen in een gondel die dertig meter de lucht in ging. Maar ach, in die tijd was kindveiligheid niet iets wat de meeste mensen erg bezighield; als je je vader om de veiligheidsriem vroeg als hij met een groot blik bier tussen zijn benen over de snelweg jakkerde, dan gaf hij je zijn das en zei: red je er maar mee.

Dus daar zat de kleine Evandro, op het hoogste punt van de draai-cirkel toen het ding vastliep, in de withete zon, die zijn kruin deed gloeien en in zijn gezicht stak als een zwerm bijen. Als hij naar links keek zag hij het pretpark, en de rest van Hull en Weymouth daar nog weer achter. Zelfs stukken van Quincy kon hij zien. Maar aan zijn rechterkant lag de zee – eindeloos veel zee, en dan kreeg je de Harbor Islands en vervolgens de skyline van Boston. En hij realiseerde zich dat hij de wereld zag door de ogen van God.

Te zien hoe klein en breekbaar alles was, elk gebouw en ieder mens, bezorgde hem koude rillingen.

Toen ze het rad eindelijk weer aan de praat hadden en hem naar beneden haalden, dachten ze dat hij huilde omdat hij geschrokken was van de hoogte. En om eerlijk te zijn was hij daarna nooit meer erg dol geweest op hoogtes, maar daarom huilde hij niet. Hij huilde – zo lang zelfs dat toen ze naar huis reden, zijn vader, Hector, dreigde hem zonder het gas los te laten uit de auto te zullen gooien – omdat hij begreep dat het leven eindig was. Ja, ach ja, zei hij tegen de ene psychiater waar hij na zijn tweede terugzetting heen ging, ik snap het – we begrijpen allemaal dat het leven eindig is. Maar in feite is dat niet zo. Ergens in ons achterhoofd geloven we dat we eraan zullen ontsnappen. We denken dat er iets zal gebeuren waardoor we een ander contract krijgen – een nieuwe wetenschappelijke ontdekking, de wederkomst van Christus, buitenaardse wezens, of wat dan ook –, met de garantie van het eeuwige leven. Maar al op zijn vijfde, op zijn godvergeten vijfde, had hij met kristalheldere zekerheid geweten dat hij, Evandro Manolo Torres, dood zou gaan. Misschien niet vandaag, maar misschien ook wel.

Dit te weten bezorgde hem een tikkend uurwerk diep in zijn hoofd, en een klok in zijn hart die elk heel uur luidde, alle uren.

En dus bad Evandro. En ging naar de mis. En las de Bijbel. En probeerde elke dag contact te hebben met de Heer Onze Redder en Hemelse Vader.

En hij dronk te veel.

En een tijdje rookte hij ook te veel en snoof hij cocaïne, beide akelige gewoontes, maar allebei nu meer dan vijf jaar in zijn achteruitkijkspiegel.

En hij hield van zijn vrouw en zijn kinderen, en deed elke dag opnieuw zijn best om dat te laten blijken.

Maar genoeg was het niet. Het gat – of zelfs die ellendige kloof, die afgrond, dat etterende gezwel in zijn binnenste – heelde niet. Wat de buitenwereld ook mocht zien als ze naar hem keken, als Evandro naar zichzelf keek zag hij een man die naar een punt op de horizon rende dat hij nooit kon bereiken. En op een dag ergens halverwege al dat rennen zou het licht gewoon uitgaan, om nooit meer aan te gaan, niet in deze wereld.

En dat deed het uurwerk sneller tikken, de klok harder luiden, bezorgde Evandro Torres een gevoel van waanzin en hulpeloosheid en gaf hem een grote behoefte aan iets – wat dan ook – om hem in het heden te verankeren.

Dat iets, nu hij oud genoeg was om het te weten, was het vlees.

En daardoor belandde hij voor het eerst in twee jaar weer in bed bij Lisa Romsey. Ze gingen los alsof er geen seconde tussen gezeten had. Ze hervonden hun ritme nog voor ze op het matras landden, de geur van alcohol in hun adem en op hun huid, maar het was warme adem, warme huid. En toen hij klaarkwam voelde Evandro het tot in de kleinste botjes van zijn lichaam. Lisa kwam tegelijkertijd, en de kreun die opsteeg uit haar keel lichtte het plafond van de muren.

Het kostte hem een seconde of vier om van haar af te rollen en nog eens vijf om het begin van berouw te voelen.

Ze kwam half overeind op het bed en reikte over hem heen naar de fles rode wijn op het nachtkastje. Ze nam een slok uit de fles. Ze zei: 'Jezus.' Ze zei: 'Man.' Ze zei: 'Shit.'

Ze gaf de fles aan Torres.

Hij nam een slok. 'Hé, kan gebeuren.'

'Maar daarom hoeft het nog niet, klootzak.'

'Waarom ben ik de klootzak?'

'Omdat jij getrouwd bent.'

'Niet goed.'

Ze nam de fles terug. 'Ongelukkig, zul je bedoelen.'

'Nee,' zei Torres, 'meestal zijn we wel gelukkig, bedoel ik, alleen dat hele gedoe van huiselijkheid en trouw gaat ons niet zo goed af. Voor ons is dat net zoiets onbegrijpelijks als de snaartheorie. En nou moet ik morgen de pastoor in de ogen kijken en deze zooi weer opbiechten.'

Romsey zei: 'Jij bent veruit de beroerdste katholiek die ik ken.'

Daar zette Torres grote ogen over op en hij grinnikte. 'In de verste verte niet.'

'Hoe verklaar je dat, zondaartje?'

'Het gaat er niet om dat je niet zondigt,' legde hij uit. 'Waar het om gaat is accepteren dat je zondig op de wereld komt en dat het leven niets is dan een soort herstelpoging.'

Romsey draaide met haar ogen. 'Wat dacht je van zondig en al uit mijn bed stappen en vertrekken?'

Torres zuchtte en kroop onder de lakens vandaan. Hij ging op de rand van het bed zitten, trok zijn broek aan en keek om zich heen op zoek naar zijn overhemd en sokken. In de spiegel zag hij dat Romsey naar hem keek, en hij wist dat ze hem, tegen beter weten in, graag mocht.

Dank u, Jezus, voor de kleine wonderen.

Romsey stak een sigaret op. 'Nadat je weg was gegaan laatst heb ik nog wat zoekwerk gedaan over die loketbar van je, Cousin Marv's.'

Torres vond zijn ene sok, maar niet de andere. 'O ja?'

'Hij werd genoemd in een onopgeloste zaak van tien jaar geleden.'

Torres vergat een ogenblik zijn andere sok. Hij keek haar aan. 'Serieus?'

Ze reikte achter haar rug, haalde iets tevoorschijn wat hij niet goed herkende. Ze gooide vanuit haar pols, en zijn sok landde naast zijn heup. 'Een jonge vent, Richard Whelan, is daar op een avond de deur uit gelopen en niemand heeft hem ooit nog teruggezien. Als jij eens een tien jaar oude moordzaak oploste, Evandro?'

'Dan kon ik terug naar Moordzaken.'

Ze fronste. 'Nee, dat gaat je niet lukken.'

'Waarom niet?'

'Daarom niet.'

'Waarom niet?' vroeg hij nog eens. Hij kende het antwoord, maar hij hoopte dat het op de een of andere manier veranderd was.

Haar mond zakte open. 'Omdat Scarpone daar de baas is.'

'En?'

'En je hebt zijn vrouw geneukt, stuk verdriet. Toen heb je haar stomdronken naar huis gebracht, onder diensttijd, en je dienstwagen total loss gereden.'

Torres sloot zijn ogen. 'Goed, op Moordzaken terugkomen zal me niet lukken.'

'Maar als je een oude zaak als deze oplost zit een kleine stap omhoog er nog wel in.'

'O ja?'

Ze glimlachte. 'Ja.'

Torres trok zijn sok aan, uiterst vergenoegd over die gedachte.

Ik was verloren, zou hij zeggen op de dag van zijn overplaatsing, maar nu ben ik hervonden.

Marv liep de Cottage Market uit met twee koffie, een zak koekjes, de *Herald* onder zijn arm en tien krasloten in zijn jaszak.

Lang geleden, op het meest trotse en moeilijkste moment van zijn leven, had Marv de cocaïne de rug toegekeerd. Hij had onverwacht wat geld gebeurd en er het juiste mee gedaan: zijn schulden afbetaald en zichzelf clean gekregen. Tot aan die dag, echter, was hij een verloederde loser geweest zonder zelfrespect en zelfbeheersing. Maar toen hij eenmaal zijn schuld had afbetaald en een andere weg was ingeslagen, herpakte hij zijn zelfrespect. Sindsdien mocht hij dan misschien zijn lijf hebben laten versloffen tot een punt waarop alleen een hoer hem nog wilde neuken en had hij waarschijnlijk meer relaties verprutst dan de meeste mensen haren hadden, maar zijn zelfrespect had hij terug.

Daarbij had hij tien krasloten, die hij die avond langzaam een voor een zou openkrassen terwijl Dottie opging in *Survivor* of *Undercover Boss* of welke domme realityserie er maar op het programma stond.

Juist toen hij zou oversteken begon er voor hem een auto vaart te minderen.

En stopte.

Het raampje aan de passagierskant ging zoemend omlaag.

De chauffeur boog zich over de voorbank heen en zei: 'Hallo.'

Marv keek naar de auto, toen naar de man. De auto was een Volkswagen Jetta van 2011 of zo. Het soort auto waar studenten of pas afgestudeerden in reden, maar deze man was begin veertig. Hij had iets opmerkelijk vergeetbaars over zich, een zo totaal nietszeggend gezicht dat je het niet in elkaar zou kunnen puzzelen al had je de onderdelen voor het grijpen. Marv kreeg een vleug aardekleuren mee van de man: lichtbruin haar, lichtbruine ogen, geelbruine kleren.

De man vroeg: 'Weet u waar het ziekenhuis is?'

Marv zei: 'U moet even honderdtachtig graden draaien en dan een kilometer of drie terug. Dan is het links.'

'Aan de linkerkant?'

'Ja.'

'Voor mij links.'

'Voor u links.'

'Niet voor u.'

'We kijken allebei dezelfde kant op.'

'O ja?'

'Zo ongeveer.'

'Oké.' De man glimlachte. Het had een glimlach bij wijze van dank kunnen zijn, maar ook iets anders, iets vreemds en onkenbaars. Moeilijk te zeggen. Met zijn blik nog steeds op Marv greep de man het stuur en maakte een keurige draai.

Marv keek hem na en deed zijn best het langs zijn dijbenen lopende zweet op deze steenkoude dag te negeren.

Bob hees zich in zijn jas, klaar voor weer een dag in de bar. Hij ging naar de keuken, waar Rochus zich een ongeluk kauwde op een hondenkluif. Hij vulde Rochus' waterbak bij en keek om zich heen tot hij de gele speeleend zag die Rochus overal mee naartoe sleepte. Hij legde hem in de hoek van de bench. De waterbak zette hij in de andere hoek. Hij knipte licht met zijn vingers.

'Kom op, jongen. Bench,' zei hij.

Rochus rende de bench in en krulde zich op tegen de gele eend. Bob gaf hem een aai over zijn snuit en deed de bench dicht.

'Tot vanavond, jongen.' Bob liep de gang door en trok de voordeur open.

De vent die op de stoep stond was mager. Niet slap mager. Hard mager. Alsof wat er binnen in hem brandde zo heet was dat vet het daar niet volhield. Zijn blauwe ogen waren zo bleek dat ze bijna grijs leken. Zijn sluike haar was even blond als het sikje dat aan zijn onderlip en kin kleefde. Bob herkende hem onmiddellijk als de jongen die hem onlangs in het park was voorbijgelopen en had gezegd dat Rochus een mooie hond was.

Bij nader inzien was het eigenlijk geen jongen. Hij was waarschijnlijk een jaar of dertig, als je hem van dichtbij zag.

Hij glimlachte en stak zijn hand uit. 'Meneer Saginowski.'

Bob schudde hem de hand. 'Ja.'

'Bob Saginowski?' De man schudde Bobs grote hand met zijn kleine; er zat een hoop kracht in zijn greep.

'Ja.'

'Eric Deeds, Bob.' De knul liet zijn hand los. 'Ik meen te weten dat je mijn hond hebt.'

Bob voelde zich alsof hij een klap in zijn gezicht had gekregen met een zak ijs. 'Wat?'

Eric Deeds sloeg zijn armen om zich heen. 'Brrr. Koud hierbuiten, Bob. Niet fijn voor een mens. Waar is hij trouwens?'

Hij maakte aanstalten om langs Bob te stappen. Bob ging voor hem staan. Hij nam Bob van top tot teen op, glimlachte.

'Ik wed dat hij daarachter is. Hou je hem in de keuken? Of beneden in de kelder?'

Bob vroeg: 'Waar heb je het over?'

Eric zei: 'De hond.'

Bob zei: 'Hoor eens, laatst in het park vond je dat ik een mooie hond had, maar...'

Eric zei: 'Het is jouw hond niet.'

Bob zei: 'Hoezo? Hij is wel van mij.'

Eric schudde zijn hoofd zoals de nonnen deden als ze zeker wisten dat je had gelogen. 'Heb je even?' Hij hield zijn wijsvinger op. 'Eén minuutje.'

In de keuken zei Eric Deeds: 'Ha, daar is hij.' Hij zei: 'Brave jongen.' Hij zei: 'Hij is groot geworden.' Hij zei: 'Een grote jongen.'

Bob deed de bench open en zijn hart brak toen hij zag dat Rochus richting Eric Deeds sloop. Hij kroop zelfs bij hem op schoot toen Eric, ongevraagd, plaatsnam aan Bobs keukentafel en twee keer op de binnenkant van zijn dijbeen klopte. Bob kon niet eens navertellen hoe de vent zich zijn huis binnen had gekletst, het was gewoon iemand die een bepaalde handigheid over zich had, zoals smerissen en vakbondslui – hij wou naar binnen, dus hij ging naar binnen.

'Bob,' zei Eric Deeds, 'ken jij een chick die Nadia Dunn heet?' Hij wreef Rochus over zijn buik. Bob voelde een steek van jaloezie toen Rochus met zijn linkerpoot schopte, ook al trok er een aanhoudende rilling – bijna een tremor – door zijn vacht.

'Nadia Dunn?' vroeg Bob.

'Het is nou niet wat je zegt een ik-ken-zoveel-Nadia's-dat-ik-ze-door-elkaar-haal soort van naam.' Eric Deeds krabbelde Rochus onder zijn kin. Rochus hield zijn oren en staart plat tegen zich aan gedrukt. Hij leek zich te schamen, zijn ogen keken omlaag hun oogkassen in.

'Ik ken haar.' Bob stak zijn handen uit, tilde Rochus van Erics knieën, plantte hem stevig op zijn eigen schoot en krabbelde hem achter zijn oren. 'Ze heeft me een paar keer geholpen Rochus uit te laten.'

Nu was het verder tussen hen twee, nadat Bob de puppy zonder enige waarschuwing van Erics schoot had getild en Eric hem een blik had toegeworpen van: wat flik je me nou? Eric had nog steeds een glimlach op zijn gezicht, maar het was geen vette glimlach meer, en nog minder een blije. Zijn voorhoofd trok samen, wat zijn ogen iets verbaasds gaf, alsof zijn gezicht wel de laatste plaats was waar ze hadden gedacht terecht te zullen komen. Op dat moment zag hij er wreed uit, het soort gast dat zijn zelfmedelijden zou afreageren op de hele wereld.

'Rochus?' vroeg hij.

Bob knikte, terwijl Rochus' oren zich ontvouwden en hij Bobs pols likte. 'Zo heet hij. Hoe noemde jij hem?'

'Meestal zei ik Hond. Soms Hondsvot.'

Eric Deeds keek om zich heen in de keuken, omhoog naar de oude ronde tl-buis aan het plafond, nog uit de tijd van zijn moeder, god, nee, zijn vader, toen die helemaal in de ban was van schrootjes – hij timmerde schrootjes in de keuken, de woonkamer, de eetkamer en als hij een manier had kunnen verzinnen om het te doen, zou hij zelfs de wc in de schrootjes hebben gezet.

'Bob, ik moet mijn hond terug.'

Heel even was Bob niet in staat woorden te vormen. 'Hij is van mij,' zei hij ten slotte.

Eric schudde zijn hoofd. 'Je huurde hem van me.' Hij keek naar de hond in Bobs armen. 'En nu zeg ik je de huur op.'

'Je sloeg hem.'

Eric voelde in de borstzak van zijn overhemd. Hij haalde een sigaret tevoorschijn en stak hem in zijn mond. Hij stak hem aan, zwaaide de lucifer uit en smeet die op Bobs keukentafel.

'Je mag hier niet roken.'

Eric keek Bob doordringend aan, zonder zijn sigaret uit te maken. 'Sloeg ik hem?'

'Ja.'

'O, en wat dan nog?' Eric tikte wat as op de vloer. 'Ik neem de hond mee, Bob.'

Bob ging staan en richtte zich op tot zijn volle lengte. Hij hield zich stevig vast aan Rochus, die wat onrustig werd en in zijn handpalm hapte. Als het erop aankwam, besloot Bob, zou hij zich met zijn volle een meter negentig en honderddertien kilo op Eric Deeds storten, die niet zwaarder kon zijn dan een kilo of vijfenzeventig. Niet nu, niet terwijl hij daar zo stond, maar als Eric een hand zou uitsteken naar Rochus, ja, dan...

Eric Deeds glimlachte naar hem. 'Zie ik je nou een beetje opgefokt raken van mijn geplaag, Bob? Ga zitten, man. Ik meen het.' Eric leunde achterover in zijn stoel en blies een stroom rook naar het plafond. 'Ik vroeg of je Nadia kende omdat ik Nadia ook ken. Ze woont bij mij in de straat, al sinds we klein waren. Dat is het grappige aan een buurt, best mogelijk dat je niet zoveel mensen kent, helemaal als ze niet van jouw leeftijd zijn, maar iedereen in je straat, die ken je.' Hij keek naar Bob terwijl die weer ging zitten. 'Ik heb je gezien, die avond. Ik voelde me rot, weet je, dat ik me zo had laten gaan. Dus ik ging terug om te zien of het hondsvot echt dood was of niet, en toen zag ik dat jij hem uit die vuilcontainer plukte en naar Nadia's opgang liep. Val je op d'r, Bob?'

Bob zei: 'Ik denk echt dat je nu maar moet gaan.'

'Ik zou je geen ongelijk geven. Ze is geen Miss World, maar een buldog is ze ook niet. En jij bent zelf ook niet wat je noemt een schoonheid, toch, Bob?'

Bob haalde zijn mobiel uit zijn zak en klapte hem open. 'Ik bel de politie.'

'Ga je gang.' Eric knikte. 'Heb je hem geregistreerd en zo?' De gemeente zegt dat je je hond moet laten registreren, voor een vergunning. Is hij wel gechipt?'

'Wat?' vroeg Bob.

Eric zei: 'Een eigendoms-chip. Die implanteren ze in je hond. Fikkie is kwijt, komt boven water bij een dierenarts, de dierenarts scant de hond en hup, daar komt de barcode met alle info over de eigenaar. En die eigenaar loopt ondertussen rond met een stuk papier waar het nummer van die chip op staat. Zoals dit hier.'

Eric trok een strookje papier uit zijn portefeuille en hield het omhoog, zodat Bob het kon zien. Compleet met barcode en alles. Hij stopte het terug in zijn portefeuille.

Eric zei: 'Je hebt mijn hond, Bob.'

'Het is mijn hond.'

Erics blik kruiste de zijne. Hij schudde zijn hoofd.

Bob droeg Rochus door de keuken. Toen hij de bench opende, voelde hij de ogen van Eric Deeds in zijn rug prikken. Hij deed Rochus in de bench. Ging rechtop staan. Draaide zich om naar Eric en zei: 'We gaan.'

'O, we gaan?'

'Ja.'

Eric liet zijn handen met een klap neerkomen op zijn dijen en stond op. 'Dan zullen we denk ik maar gaan, niet?'

Bob en hij liepen de donkere gang door en kwamen weer in het halletje.

Eric zag een paraplu in de stander rechts naast de voordeur. Hij pakte hem, keek Bob aan. Hij bewoog de schuif een paar keer op en neer.

'Je sloeg hem,' zei Bob nogmaals omdat het hem een belangrijk detail leek.

'Maar ik zal tegen de politie zeggen dat jij dat deed.' Eric bleef met de schuif spelen, zodat de paraplu wat flapperde.

Bob vroeg: 'Wat wil je?'

Eric glimlachte ondoorgrondelijk. Hij wikkelde het bandje om de paraplu tot het strak zat. Hij trok de voordeur open. Hij keek naar het weer, en toen naar Bob.

Eric zei: 'Nu is het zonnig, maar je weet maar nooit.'

Eenmaal op de stoep snoof Eric Deeds een flinke hap lucht op en liep de straat in onder een stralende hemel, met de paraplu onder zijn arm.

8

Regels en voorschriften

Eric Deeds was geboren en opgegroeid ('opgevoed' zou te veel eer zijn) in East Buckingham, maar hij had een paar jaar elders doorgebracht – zware jaren – waarna hij iets meer dan een jaar geleden was teruggekeerd naar zijn ouderlijk huis. De tijd die hij was weggeweest had hij vastgezeten in South Carolina.

Hij was erheen gegaan om een misdaad te plegen, en die misdaad was niet al te best verlopen: een pandjesbaas had er een hersenbloeding en een spraakgebrek aan overgehouden, een van Erics maten was doodgeschoten en stom uitziend geëindigd in de voorjaarsregen, en Eric en zijn andere maat werden voor drie jaar opgeborgen in de Broad River-gevangenis.

Eric was niet gebouwd op zware tijden, en op zijn derde dag binnen raakte hij verwikkeld in een opstootje in de eetzaal waarbij hij in doodsangst zijn handen hief en ongelukkig genoeg een vliegend mes opving, dat zijn hand doorboorde maar niet het hoofd van een vent die Padgett Webster heette.

Padgett was een drugsdealer met aanzien in Broad River. Padgett werd Erics beschermer. Nog terwijl hij Eric neerduwde op het matras en zijn kont binnendrong met een pik zo lang en zo dik als een komkommer, verzekerde Padgett Eric dat hij bij hem in het krijt stond. Hij zou het niet vergeten. Eric moest hem komen opzoeken wanneer hij vrijkwam, deze schuldbekentenis verzilveren, iets aannemen om hem op gang te helpen in het leven na de gevangenis.

Padgett werd een halfjaar voor Eric vrijgelaten, waarna Eric de ruimte kreeg om na te denken, en zijn leven onder de loep te nemen, het kronkelpad dat hem had gebracht tot waar hij was. Zijn enig overgebleven maat in de bak – Vinny Campbell, die was meegekomen uit Boston en samen met hem werd opgepakt – zag zijn straf met een jaar verlengd nadat hij in de timmerwerkplaats met een hamer was losgegaan op de elleboog van een medegedetineerde. Hij had het gedaan voor de Ariërs, zijn nieuwe bloedbroeders, die hem bij wijze van dank een heroïneverslaving cadeau deden. Vinny sprak nauwelijks nog met Eric en scharrelde alleen nog rond in gezelschap van zijn skinheadvrienden; de ballonachtige wallen onder zijn ogen waren inmiddels zo zwart als koffie.

In Broad River waren zij de speeltjes met de gebroken ledematen, de doorgebrande batterijdraadjes, de uitstulpende vulling. Zelfs na reparatie waren zulke speeltjes niet meer welkom in de kinderkamer.

Erics enige kans om in de buitenwereld op de been te blijven was nu als hij zijn eigen in steen gebeitelde rij wetten creëerde. Wetten speciaal voor hem. Dit deed hij op een avond in zijn cel. Hij stelde zorgvuldig een lijst met negen leefregels op. Hij noteerde ze op een stuk papier, vouwde dat een paar keer dubbel en verliet Broad River met dat papier in zijn achterzak, de plooien pluizig en dik van het voortdurend open- en weer dichtvouwen.

De dag nadat hij was vrijgekomen stal hij een auto. Hij reed naar een winkelcentrum aan de snelweg en jatte een hawaïhemd, dat hem twee maten te groot bleek, en een paar rollen tape. Het weinige geld dat hij had hield hij achter de hand om een pistool te kunnen kopen van een gast wiens naam hij in Broad River had gekregen. Toen belde hij Padgett vanuit een telefooncel voor een motel in Bremeth en maakte een afspraak terwijl de hitte wit warrelend opsteeg van het zwarte asfalt en uit de bomen lekte.

De rest van die dag bleef hij in zijn kamer en dacht aan wat de gevangenispsychiater had gezegd: dat hij niet slecht was. Zijn brein was niet slecht. Hij wist dat; hij had uren en uren rondgezworven door die roze kronkels. Zijn brein was alleen in de war en gekwetst en lag vol gebutste onderdelen, als een autokerkhof. Onderbelichte foto's, een vettig glazen tafelblad, een wasbak in een hoek tussen twee muren van gasbetonblokken, zijn moeders vagina, twee plastic stoelen, een schemerig verlichte bar, smoezelige roodbruine doeken, een bakje met pinda's, vrouwenlippen die zeiden *ik vind je leuk, echt*, een witte schommelbank van hard plastic, een uit elkaar vallende honkbal die zijn ingewanden uitspuugde tegen een grijsblauwe hemel, een riooldeksel, een rat, twee Nuts-repen stevig vastgeklemd in een zweterig handje, een hoge schutting, een beige katoenen jurk over de rug van een kunststoffen autozitting, een beterschapskaartje met de namen van de hele zesde klas, een houten steiger boven een kabbelend meer, een paar natte sneakers.

De Lijst zat in zijn achterzak toen hij die avond om middernacht over het pad naar Padgetts achterdeur liep. De bomen drupten in het donker, drupten zacht en gestaag tikkend op de gebarsten stenen van het pad. De hele staat drupte. Alles was er te vochtig naar Erics idee. Zompig. Middernacht. Hij voelde het zweet parelen in zijn nek en donkere okselvlekken achterlaten in zijn overhemd.

Hij kon niet wachten om er weg te wezen, om Broad River, de wurgficussen, de verstikkende lucht van de tabaksvelden, de textielfabrieken en al die zwarte mensen – overal zwarte mensen, nors en slinks, die zich met bedrieglijke traagheid voortbewogen – en dat hele onophoudelijke gedrup, drup, drup, van het Amerikaanse zuiden achter zich te laten.

Terug naar de kinderkopjes, de van herfst tintelende avondlucht en goddomme een fatsoenlijke broodjestent. Terug naar bars waar ze geen country draaiden en straten waarin niet een op de drie auto's een pick-up was, waar de mensen niet zo slepend en traag spraken dat je de helft niet verstond van wat ze zeiden.

Eric was gekomen om een kilo zwarte-teerheroïne op te halen. Om te verkopen in het noorden, en het geld op basis van een zestigveertigverdeling terug te sturen naar Padgett, de zestig voor Padgett en de veertig voor Eric, maar nog altijd een prima deal omdat Eric de prijs van de handel niet vooraf contant hoefde af te rekenen. Padgett zou het hem in goed vertrouwen meegeven, als inlossing van zijn schuld, voor wat Eric had gedaan met zijn hand.

Padgett opende de deur naar een met gaas afgeschermde veranda; het kleine huis knerste van een briesje dat door de bomen ijlde. De veranda werd verlicht door een groen peertje. Het rook er naar natte beesten, en rechts naast de deur zag Eric een zak met houtskool staan, naast een Japanse grill, een kartonnen doos met lege mixdrankflesjes en heupflessen whisky.

Padgett zei: 'Man, wat goed om je te zien,' en hij gaf hem een klap op zijn schouder. Padgett was mager en pezig en zijn spieren rimpelden over het kraakbeen van zijn gewrichten. Zijn overwegend grijze haar was als sneeuw op een berg kolen, en hij rook naar hitte en een bananenmuskusbriesje. 'En ook om een witte te zien. Ik heb al in geen tijden een van jouw soort over de vloer gehad.'

Om er te komen had Eric de doorgaande weg door een gat van een dorp genomen, was over het spoor rechts afgeslagen en langs drie tankstations, een bar en een 7-Eleven gereden. Daarna had hij vijf kilometer afgelegd over hobbelige wegen met links en rechts onverharde stegen en jungles van afstervende eucalyptussen die half over verlaten hutjes hingen, en tegen die tijd stamde zijn laatste blanke gezicht van ergens voor het spoor en duizend jaar geleden. Misschien één lantaarn die het deed per vier straten scheefhangende huizen en donkere rommelveldjes. Verzakte veranda's met zwarte mannen die huismerkbier dronken uit literflessen en joints rookten, autowrakken roestend in manshoog gras, en achter gebarsten, kale ramen het geschuifel van zwarte vrouwen met hoge jukbeenderen en een baby tegen de schouder. Middernacht, een hele buurt die lusteloos wakker bleef in afwachting van iemand die de thermostaat omlaag kwam zetten.

Toen ze het huis binnengingen zei hij tegen Padgett: 'Man, wat een luchtvochtigheid hier.'

'Shit, ja,' zei de oude man. 'Daar mankeert het niet aan bij ons. Hoe is het, neger?'

'Best.' Toen ze door de woonkamer liepen, waar alles krom en ranzig was van de hitte, dacht Eric aan hoe Padgett na 'licht-uit' boven op hem lag en 'kleine witte neger van me' in zijn oor fluisterde terwijl zijn vingers zich vastgrepen in zijn haar.

'Dit is Monica,' zei Padgett, toen ze de keuken binnenkwamen.

Ze zat met haar uitgebluste gezicht en knokige gewrichten aan een tafel die in de lengte tegen het raam was gezet; haar ogen waren groot en doods als zinkputten en haar huid spande te strak over de onderliggende botten. Eric wist uit hun gesprekken in zijn cel dat ze de vrouw van Padgett was, moeder van vier kinderen die al lang vertrokken waren, en hij wist dat aan een haak onder het tafelblad, net ter rechterzijde van haar hand, een 12 millimetergeweer met een afgezaagde loop hing.

Monica nam een slokje van haar mixdrankje, trok een grimas bij wijze van begroeting en bladerde verder in het tijdschrift naast haar elleboog.

Regel nummer een, dacht Eric. Nu regel nummer een in de gaten houden.

'Let maar niet op haar,' zei Padgett, terwijl hij de ijskast opentrok. 'Tussen elf uur 's avonds en twaalf uur de volgende dag kan je geen kant met 'r op.' Hij gaf Eric een blikje bier uit een hele tray op de bovenste legger, nam er zelf ook een en deed de deur weer dicht.

'Monica,' zei hij, 'dit is de man waarover ik je heb verteld, de kleine neger die mijn leven heeft gered. Laat haar je hand zien, man.'

Eric hield zijn handpalm op voor haar neus en toonde haar de wirwar van littekens waar het mes erin was gegaan en recht aan de andere kant weer uit gekomen. Monica reageerde met het kleinst mogelijke knikje, en Eric liet zijn hand zakken. Hij kon op die plek nog altijd geen fuck voelen, hoewel alles oké functioneerde.

Monica richtte haar ogen weer op het tijdschrift, sloeg een pagina om. 'Ik weet wie het is, ouwe idioot. Sinds je daar de poort uit bent gelopen, heb je je kop nog niet gehouden over die plek.'

Padgett trok een brede grijns naar Eric. 'Hoelang ben jij al buiten?'

'Vandaag.' Eric nam een lange teug van zijn bier.

Ze kletsten een paar minuten over Broad River. Eric praatte Padgett bij over het geknok om de macht dat hij niet meer had meegemaakt, veel gedoe om niks, voornamelijk. Hij vertelde hem ook over de bewaker die op doktersadvies was vertrokken nadat hij de drugs van de foute gevangene had gerold; die vent dacht dat zijn huid paars uitsloeg en had zich een stel vingernagels afgekrabd tegen de muur van de binnenplaats. Padgett probeerde zoveel nieuwtjes uit hem te trekken als hij kon, zodat Eric zich herinnerde wat voor een oud wijf die Padgett altijd was geweest, zoals hij elke ochtend met de oudere gevangenen bij de fitnessbanken zat te kakelen en te roddelen alsof ze verdomme in een talkshow zaten.

Padgett gooide hun lege blikjes in de afvalemmer, haalde twee nieuwe en gaf Eric er een. 'Tachtig-twintig had ik gezegd, toch?'

Eric voelde een zweem van bederf de kamer binnenkomen. 'Zestig-veertig, had je gezegd.'

Padgett boog naar voren, sperde zijn ogen wijd open. 'En ik jou de aankoop voorschieten? Neger, je hebt mijn leven gered, maar, shit...'

'Ik vertel gewoon wat je me gezegd hebt.'

'Wat je dénkt dat je gehóórd hebt,' zei de oude. 'Nee, nee. Tachtig-twintig, en anders niet. Ik zou jou hier de deur uit sturen met een hele kilo zeker. Zonder te weten of ik je ooit nog terug zie. Man, dat is een hoop vertrouwen. Een vrachtlading vertrouwen.'

'Zo is het,' zei Monica, zonder op te kijken van haar tijdschrift.

'Ja. 't Is tachtig-twintig.' Padgetts blije ogen werden klein en somber. 'Zijn we het eens?'

'Ja hoor,' zei Eric, die zich klein voelde – en wit. 'Tuurlijk Padgett, prima.'

Padgett liet opnieuw een honderdwattgrijns op hem los. 'Ach ja, ik zou ook negentig-tien kunnen zeggen, en wees eerlijk, wat zou je ertegen doen, neger, heb ik gelijk of niet?'

Eric haalde zijn schouders op, nam nog een slok van zijn bier en staarde naar het aanrecht.

'Ik vroeg: Heb ik gelijk of niet?'

Eric keek de oude man aan. 'Je hebt gelijk, Padgett.'

Padgett knikte, stootte zijn blikje tegen dat van Eric en nam een slok.

Regel nummer twee, hielp Eric zichzelf herinneren. Die vooral nooit vergeten. Geen seconde, zolang je leeft.

Een magere vent in een bonte katoenen badjas en lichtbruine sokken kwam snuivend de keuken binnen, een prop tissue tegen zijn bovenlip gedrukt. Jeffrey, vermoedde Eric, Padgetts veel jongere broer. Padgett had hem ooit verteld dat Jeffrey vijf mannen had vermoord, waarvan hij het wist, en dat zoiets voor Jeffrey net zo normaal was als even gaan zwemmen. Hij had ook gezegd dat áls

Jeffrey een ziel had, ze er met een speurhond naar op zoek zouden moeten.

Jeffrey had de doffe blik van een mol, en zijn ogen rolden over Erics gezicht. 'Hoe is het? Alles goed?'

Eric zei: 'Best. Met jou?'

'Gaat goed.' Jeffrey bette zijn neus met de tissue. Hij ademde hard en vochtig in door zijn neusgaten, trok een kastje boven het aanrecht open en pakte er een fles hoestdrank uit. Hij draaide de dop eraf met zijn duim, gooide zijn hoofd in zijn nek en dronk de halve fles leeg.

'Hoe voel je je echt?' Dat kwam van Monica, nog steeds met haar blik op het tijdschrift, maar het was haar eerste teken van belangstelling voor iets of iemand sinds Erics komst.

'Niet goed,' zei Jeffrey. 'Ik heb die kutverkoudheid die maar niet overgaat.'

'Eet wat soep,' zei Monica. 'Sla een deken om je heen.'

'Ja,' zei Jeffrey. 'Ja, je hebt gelijk.' Hij draaide de dop weer op de hoestdrank en zette de fles terug in het kastje.

'Heb je die neger gesproken?' vroeg Padgett.

'Welke neger?'

'Die altijd voor de supermarkt zit.'

Regels nummer drie en vijf, herhaalde Eric in gedachten als een mantra. Drie en vijf.

'Die heb ik gesproken.' Jeffrey snoof opnieuw krachtig door zijn neus en bette zijn bovenlip met de tissue.

'En?'

'Hoezo, en? Die neger staat elke dag op dezelfde plek. Die gaat nergens naartoe.'

'Hem maak ik me geen zorgen over. Die vrienden van hem.'

'Vrienden.' Jeffrey schudde zijn hoofd. 'De vrienden van die klojo zijn geen enkel probleem.'

'Hoezo niet?'

Jeffrey hoestte een paar keer tegen de rug van zijn hand, de rochels sneden door zijn borst als hakmessen door een zee van wieldoppen. Hij veegde de tranen uit zijn ogen en keek naar Eric alsof hij hem nu pas voor het eerst zag.

Plotseling zag hij iets in Erics gezicht wat hem niet beviel.

Hij vroeg Padgett: 'Heb je die gast beklopt?'

Padgett wuifde het weg. 'Kijk naar hem. Die is niks van plan.'

Jeffrey rochelde een kwak slijm in de spoelbak. 'Je zakt in, ouwe. Je laat steken vallen.'

'Zoals ik al een tijdje zeg,' zei Monica op een vermoeide zeurtoon, terwijl ze weer een pagina omsloeg.

'Hé, witte.' Jeffrey kwam de keuken door. 'Ik moet je even bekloppen, man.'

Eric zette zijn bier op een hoek van het fornuis en spreidde zijn armen.

'Ik zal proberen je niet aan te steken.' Jeffrey propte de tissue in de zak van zijn badjas. 'Want daar zit je niet op te wachten.' Zijn handen gingen over Erics borst, zijn middel, ballen, de binnenkant van zijn dijen en zijn enkels. 'Krijg je een barstensvolle kop van. Mijn keel voelt alsof ik een kat heb doorgeslikt, en dat het beest zich aan zijn nagels weer naar boven werkt.' Jeffrey betastte vluchtig en trefzeker Erics onderrug, en snoof.

'Goed, je bent schoon.' Hij wendde zich tot Padgett. 'Was dat nou zo moeilijk, ouwe?'

Padgett rolde met zijn ogen naar Jeffrey.

Eric krabde zich in zijn nek en vroeg zich af hoeveel mensen er in dit huis al dood waren gegaan. Net zoals hij zo vaak in de gevangenis had gedaan, verwonderde hij zich erover hoe saai en simpel het slechtste in de mens kon zijn. Het licht van de lamp boven zijn hoofd werkte zich door zijn schedeldak en verspreidde warmte in zijn brein.

Jeffrey zei: 'Waar heb je de gin staan?'

Padgett wees naar een fles Seagram's op de plank boven de oven.

Jeffrey pakte hem, greep een glas. 'Ik dacht dat ik je gezegd had dat je hem in het vriesvak moest laten. Ik wil dat spul koud, man.'

Padgett zei: 'Ga jij nou maar eerst de deur uit en koop ergens een omslagdoek voor jezelf. Je bent een oud wijf aan het worden, Jeffrey.'

De kamer begon een beetje te zweven toen Eric zijn nek krabde en hij zijn vingers zijn kraag in stuurde en toen lager, tot tussen zijn schouderbladen. Hij had het warm, zijn hoofd bonkte en zijn mond voelde droog. Verschrikkelijk droog. Alsof hij tot zijn sterfdag nooit meer iets te drinken zou krijgen. Hij zag zijn blikje bier waar hij het had neergezet toen Jeffrey hem ging fouilleren. Hij overwoog of hij er zijn hand naar zou uitsteken, en besloot dat hij het zich niet kon veroorloven.

'Het enigste wat ik dag in dag uit moet aanhoren, ouwe, is dat geratel van jou. Je mond staat nooit stil. Altijd maar ratelen als een god weet wat. Nooit eens stil.'

Padgett zoog de laatste slok uit zijn blikje, kneep het fijn en trok de ijskast open voor nog een.

Jeffrey zette zijn borrel op de rand van het aanrecht, draaide zich om naar Eric en zei met een krachteloos soort verbazing in zijn stem: 'Neger, wat krijgen we nou?' toen Eric zijn hand uit de kraag van zijn overhemd haalde en een kleine .22 liet zien met een stuk tape nog aan de loop – de huid op zijn rugwervels tintelde van het losrukken. Hij raakte Jeffrey net onder zijn adamsappel, en Jeffrey gleed naar beneden tegen het aanrechtkastje onder de spoelbak.

De volgende kogel vuurde hij langs Monica's oor in de wand; ze reikte onder de tafel, dook weg, kin tussen haar dijen, en Eric schoot een kogel door haar kruin. Hij aarzelde, een seconde misschien, gefascineerd door het kleine gat dat zich had geopend in haar hoofd, donkerder dan elk ander gat dat hij ooit had gezien, donkerder dan haar heel donkere haar. Hij draaide zich om.

Zijn volgende kogel boorde zich in Padgett. Het bier viel uit zijn hand en Padgett maakte een volle draai, waarbij zijn heup en hoofd tegen de deur van de ijskast bonkten.

De echo van de schoten deed het hele vertrek bonzen.

Het pistool in Erics hand trilde licht, maar niet erg, en het gebonk in zijn hoofd leek weg te ebben.

Padgett, nog half overeind op de vloer, zei: 'Jij stom stuk ellende.' Zijn stem klonk schril, meisjesachtig. Midden in zijn bezwete T-shirt zat een lekkend gat dat steeds groter werd.

Eric dacht: ik heb net drie mensen overhoopgeschoten. Grote god.

Hij raapte het bierblikje op van de vloer. Hij trok het lipje los: het bier spoot tegen de tafelpoot. Hij drukte het Padgett in de hand, keek toe hoe het schuim over Padgetts pols en vingers gleed en borrelde. Padgetts gezicht kleurde even krijtwit als zijn haar. Ergens uit zijn borst kwam een vage fluittoon. Terwijl Eric even op de vloer zat, kantelde Monica's lichaam uit de stoel en viel met een doffe bons op het linoleum.

Hij streek met zijn vlakke hand over de besneeuwde steenkool op Padgetts hoofd. Zelfs in zijn toestand reageerde Padgett met een zekere huivering en probeerde hij Eric van zich af te houden. Maar hij kon geen kant op, en Eric roste met zijn vlakke hand nog een paar keer heen en weer over zijn haar, en ging weer zitten.

Padgett kreeg een hand op de vloer en probeerde zichzelf omhoog te duwen. De hand hield het niet en hij zat weer. Hij probeerde het nog eens, tastte blind naar een stoel en kreeg ten slotte de muis van zijn hand op de zitting, en terwijl zijn tong slap over zijn onderlip zakte, wist hij zichzelf op te drukken. Hij kwam tot een soort half-stand, zijn knieën gebogen en trillend, en op dat moment gleed de stoel weg en ging Padgett weer neer, veel harder deze keer, waarna hij zittend scherp en kort inademde, zijn lippen getuit, de blik op zijn schoot gericht.

'Hoezo dacht je dat je me te slim af kon zijn?' vroeg Eric aan Padgett; zijn eigen lippen voelden als twee stukken elastiek.

De oude man hapte kleine beetjes lucht, zijn ogen groot, zijn mond open. Hij probeerde iets te zeggen, maar het enige wat eruit kwam was *woe, woe, woe*.

Eric leunde achterover om te richten. Padgett staarde met wilde, gekooide ogen naar de loop. Eric gunde hem alle tijd om te kijken. Padgett kneep zijn ogen stijf dicht tegen de kogel waarvan hij wist dat die zou komen.

Eric wachtte en wachtte.

Toen Padgett zijn ogen opende, schoot Eric hem recht in zijn gezicht.

'Regel nummer zeven.' Eric ging staan. 'Voortmaken nu.'

Hij liep onder de trap door naar de slaapkamer en trok de kastdeur open. Daar stond een kluis. Het ding was een kleine meter hoog en ruim een halve meter breed, en Eric wist van menig laat nachtje met Padgett in hun cel dat er alleen telefoonboeken in lagen. Hij was niet eens aan de vloer geklonken. Kreunend van inspanning trok hij hem eruit, om beurten links en rechts wrikkend, totdat de kluis ten slotte over de drempel was en links van de deur stond. Hij staarde naar de vloerplanken die nu vol butsen en krassen zaten. Hij trok aan een plank, die meegaf. Hij smeet hem achter zich neer, haalde nog vier planken weg en stond oog in oog met de voorraad: zakken vol zwarte-teerheroïne, dicht opeengepakt. Hij pakte de zakken er een voor een uit en legde ze op het bed, tot de bergplaats leeg was. Het waren veertien zakken.

Hij keek om zich heen op zoek naar een koffer of een sporttas, maar hij zag er geen en ging terug naar de keuken. Hij moest over Padgetts benen en vervolgens Monica's hoofd stappen om het aanrechtkastje open te doen. Op het moment dat hij een rol huisvuilzakken vond, drong tot hem door dat hij Jeffrey met zijn rug tegen datzelfde aanrechtkastje had achtergelaten – Jeffrey in zijn badjas en zijn bruine sokken, met de kogel in zijn keel.

Hij zag spetters en klonters bloed op de laden links van hem en vervolgens op de vloer, de deur en de deurpost naar de gang. Hij volgde het bloedpatroon als verspreide, grote rode motten de gang in, waar hij verwachtte Jeffrey op zijn buik te zullen aantreffen, moeizaam ademend of dood.

Maar hij lag er niet. De bloedmotten draaiden mee met de trap en gingen op in het donker van de smalle, doorzakkende treden en de vaal geworden, rafelige loper. Boven hem, aan het plafond, hing een kaal peertje.

Terwijl hij daar stond, hoorde hij een raspende ademhaling. Het kwam van rechts van dat peertje, uit een van de kamers boven zijn hoofd. Hij hoorde het geluid van een la die werd opengetrokken.

Hij moest een opwelling van paniek wegslikken. Regel nummer zeven, regel nummer zeven. Niet denken, maar doen. Hij haastte zich achterwaarts naar de veranda en greep de zak met houtskool die hij daar had zien liggen. Een merk dat je met één lucifer kon aansteken, zonder een scheut petroleum: ze dachten ook aan alles tegenwoordig.

Terug in de gang stak hij behoedzaam zijn hoofd om de hoek van de trap, gespitst op het gerochel van adem uit een open keel. Toen hij ervan overtuigd was dat Jeffrey hem niet boven aan de donkere trap stond op te wachten, waagde hij zich tot de onderste trede en legde er de zak met houtskool neer.

Het kostte hem zo'n dertig seconden om een punt van de zak aan de praat te krijgen; hij schroeide zijn duim aan het radertje van zijn Bic-aansteker. Toen waren er plotseling dansende vlammen. Iemand moest in de loop van de jaren een vat vol sterkedrank op die traploper hebben gemorst, want toen de vlammen de rand van de vervaalde stof te pakken kregen, vlogen ze als startbaanverlichting de treden op. Hij voelde zich licht in het hoofd worden van de koolmonoxide, en deed een stap naar achteren. De rook was zwart en zwaar van de kerosinelucht, en op het moment dat Eric een stap achter het vuur langs deed, sloeg een kogel een gat in de vloer voor zijn voeten. Een volgende kogel vloog langs hem heen en raakte de deur naar de veranda.

Eric richtte over het vuur heen en schoot omhoog het donker in. Hij kreeg een lichtflits terug, verschillende; de kogels raakten de wand en joegen splinters in zijn haren.

Hij maakte zich klein tegen de wand. De vlammen likten aan zijn oor, en hij zag dat zijn schouder vlam had gevat. Hij sloeg erop tot het uitging, maar nu brandde de wand. De wand, de trap, de slaapkamer aan de andere kant van de wand. Shit. Daar lag de heroïne klaar op het bed.

De hele gang stond nu in brand. Zwarte walmen olieachtige rook bestookten zijn ogen en longen. Hij schoot op Jeffrey toen die met een nutteloze 9 mm in zijn hand over de trapleuning sprong en door de vlammenzee naar beneden kwam. Hij vuurde nog eens toen hij neerkwam in de gang, waarop Jeffrey rechtstandig achterover in de vlammen viel – zijn badjas een deken van vlammen, zijn ene hand nog steeds tegen zijn lekgeschoten keel.

Eric probeerde om de vlammen heen te komen, maar dat was zinloos. Het vuur was overal. En waar het niet was, zag het zwart van de rook.

Stom, dacht hij. Eric, je bent een domme lul. Dom, dom, dom.

Maar niet zo dom als de drie dode klerelijers die hij achterliet.

Eric ging de deur uit en liep het gebarsten betonpad af, waar de bomen nog steeds drupten en tikten. Hij stapte in zijn auto, volgde de onverharde weg terug, nam een afslag naar een gehavende, met puin opgelapte asfaltweg, en vroeg zich af hoe mensen in jezusnaam in zo'n ellendige stinkbuurt konden wonen. Ga verdomme aan het werk, dacht hij. Laat de crack staan. Zorg dat je wat zelfrespect krijgt, of anders ben je geen haar beter dan een lullige woestijnrat. Domme klotewoestijnratten in een kloterig klein kooitje.

Zelfs als zijn plan was geslaagd en hij dat huis uit was gelopen met een aantal kilo's zwarte-teerheroïne, dan had hij nog niet de garantie gehad dat hij die had kunnen verkopen. Aan wie had hij het spul moeten verkopen? Hij kende niemand in Boston die zo'n partij kon wegzetten, en zelfs als hij aan de juiste lui zou zijn voorgesteld, hadden die hem waarschijnlijk een poot uitgedraaid, en hem gaandeweg de deal alsnog moeten afmaken om te voorkomen dat hij later verhaal zou komen halen.

Dus misschien was het maar beter zo, alleen nu was hij op weg naar huis zonder buit en zonder mogelijkheid om iets te verdienen. Niet dat er geen mogelijkheid zou zijn om iets te gaan verdienen, als hij zijn ogen en oren maar goed openhield. Eén mooi ding aan het alleszins miezerige ouwe East Buckingham was dat er op elke willekeurige dag zoveel besmet geld die buurt in en weer uit ging – veel meer dan welke wettige verdienste ook – dat iemand met een klein beetje verstand alleen maar wat geduld hoefde te hebben.

Hij haalde zijn lijst met regels tevoorschijn, vouwde die met één hand open en legde hem op zijn bovenbeen om te lezen tijdens het rijden. Het was donker in de auto, maar hij kende de regels uit zijn hoofd, hoefde ze eigenlijk niet meer te lezen, was gewoon gesteld op waar ze voor stonden, daar op zijn been. Met de hand geschreven, in nauwkeurig getrokken letters stond er:

1 Vertrouw nooit een veroordeelde.

2 Niemand houdt van je.

3 Schiet als eerste.

4 Drie keer per dag poetsen.

5 Ze zouden het jou ook aandoen.

6 Zorg verdomme dat je betaald wordt.
7 Werk snel.
8 Kom altijd over als redelijk.
9 Neem een hond.

Toen hij bij het spoor links afsloeg en het licht van de 7-Eleven voor zich zag, bedacht hij dat de heenreis twee keer zo lang leek als de terugreis, en hoe vreemd het was dat dat meestal zo was, en toen dacht hij: Nadia.

Ik vraag me af waar die tegenwoordig mee bezig is.

9

Blijf

Ze hadden Rardy niet meer gezien sinds de overval. Hij was de volgende dag uit het ziekenhuis ontslagen, dat wisten ze wel, maar daarna was hij in rook opgegaan. Ze hadden het er op een ochtend over in de lege bar, de helft van de stoelen nog op de tafeltjes en de tapkast.

Neef Marv zei: 'Dat is niks voor hem.'

Bob had de opengeslagen krant voor zich liggen. Het was nu officieel: het aartsbisdom had aangekondigd dat Saint Dominic's Church in East Buckingham zou sluiten, een gebeurtenis die door de kardinaal 'zeer nabij' was genoemd.

Bob zei: 'Hij is al eens eerder niet op komen dagen.'

Neef Marv zei: 'Niet dagen achter elkaar, niet zonder te bellen.'

Er stonden twee foto's van Saint Dominic's in de krant, een recente en een van honderd jaar geleden. Met dezelfde hemel erboven. Alleen was niemand die onder die eerste hemel had rondgelopen nog in leven ten tijde van de tweede. En misschien waren ze wel blij dat ze niet hadden hoeven blijven in een wereld die zo onherkenbaar anders was dan de wereld waarin zij het levenslicht zagen. In Bobs kinderjaren was je parochie je land. Alles wat je nodig had en moest weten, speelde zich daarbinnen af. Nu het aartsbisdom de helft van de parochies had opgedoekt, om te boeten voor de misdaden van de priesters die hun handen niet van de kinderen af konden houden, kon Bob niet meer ontkennen dat de tijden van de almachtige parochie, al lang kwijnend, echt voorbij waren. Hij was van een bepaald type, van een soort halve generatie, een bijna-generatie, en hoewel ze nog altijd met velen waren, waren ze ouder, grijzer, hadden ze een rokershoestje en gingen ze voor een onderzoekje de medische molen in – om er nooit meer uit te stappen.

'Ik weet het niet,' zei Marv. 'Die toestand met Rardy begint op m'n zenuwen te werken, dat mag je best weten. Ik bedoel, ik heb gasten die me volgen en...'

Bob zei: 'Jij hebt geen gasten die je volgen.'

Neef Marv zei: 'Wat heb ik je gezegd dan over die man in die auto?'

Bob zei: 'Die wilde de weg weten.'

Neef Marv zei: 'Ja, maar de manier waarop hij het deed, die blik van hem. En wat dacht je van die vent met de paraplu?'

Bob zei: 'Dat gaat over de hond.'

Neef Marv zei: '"De hond." Hoe weet je dat?'

Bob staarde naar het nog onverlichte deel van de bar en voelde zich omringd door de dood, een bijverschijnsel, geloofde hij, van de overval en die arme kerel achter in het busje. Het schemerdeel van de bar veranderde in ziekenhuisbedden, kromgebogen oude mannen die beterschapskaarten kochten, lege rolstoelen.

'Rardy is gewoon ziek,' zei Bob na een poosje. 'Die komt wel weer opdagen.'

Maar een paar uur later, terwijl Marv de bar bediende voor de verstokte daglichtdrinkers, liep Bob naar Rardy's huis, een appartementje op de tweede verdieping van een vermoeid ogend flatgebouw aan Perceval.

Bob zat in de woonkamer met Moira, Rardy's vrouw. Ooit was ze een hele verschijning geweest, Moira, maar het bestaan met Rardy en een kind met een of ander leerprobleem had haar schoonheid als limonade door een rietje uit haar weggezogen.

Moira zei: 'Ik heb hem al in geen dagen gezien.'

Bob zei: 'Jee, dagen.'

Ze knikte. 'Hij drinkt veel meer dan hij wil toegeven.'

Bob boog zich met een verbaasde blik naar voren in zijn stoel.

'Ik kan het weten,' zei ze. 'Hij weet het goed te verbergen, maar vanaf het moment dat hij 's morgens opstaat, neemt hij onderhoudsslokjes.'

Bob zei: 'Een stevige borrel heb ik hem weleens zien drinken, ja.'

'Ken je die kleine vliegtuigflesjes?' vroeg Moira. 'Die heeft hij op zak. Dus ja, ik weet het niet, misschien zit hij bij zijn broers of wat oude vrienden uit Tuttle Park.'

'En wanneer was de laatste keer?' vroeg Bob.

'Dat ik hem zag? Paar dagen geleden. Hij heeft het me al eens eerder geflikt, de lul.'

'Heb je geprobeerd hem te bellen?'

Moira zuchtte. 'Hij neemt zijn mobiel niet op.'

Het kind verscheen op de drempel, nog in pyjama, om drie uur 's middags. Patrick Dugan, negen of tien, hij wist niet meer precies welke van de twee het was. Hij schonk Bob een lege blik, hoewel ze elkaar al honderd keer gezien hadden, en keek toen naar zijn moeder, een en al zenuwachtig gedraai en schokkende schoudertjes.

'Je had het beloofd,' zei Patrick tegen zijn moeder. 'Je zou me komen helpen.'

'Is goed. Even mijn gesprek met Bob afmaken.'

'Je had het beloofd, beloofd, beloofd. Je moet me helpen.'

'Ja, lieverd.' Moira deed heel even haar ogen dicht en sloeg ze weer op. 'Ik zei dat ik er zo aankwam, en dat is ook zo. Laat me maar eens zien waar we het over gehad hebben, weet je nog, dat je jezelf kunt bezighouden, nog een paar minuutjes.'

'Maar je had het beloofd.' Patrick hupte van zijn ene voet op de andere in de deuropening. 'Beloofd.'

'Patrick.' Moira klonk streng en waarschuwend nu.

Patrick barstte los in een schreeuw en op zijn gezicht verscheen een onaantrekkelijke mengeling van woede en angst. Het was een oerkreet, een dierentuingeluid, een jammerklacht aan goden met beperkte middelen. Zijn gezicht werd rood alsof het verbrand was en de pezen in zijn hals werden zichtbaar. En de kreet zwol aan en hield niet op. Bob keek naar de vloer, keek uit het raam, probeerde gewoon te doen. Moira keek alleen maar doodmoe.

Toen klapte de jongen zijn mond stijf dicht en rende de gang in.

Moira nam een kauwgummetje uit de wikkel en stopte het in haar mond.

Ze gaf het pakje aan Bob, die haar bedankte en er een nam, waarna ze zwijgend op hun kauwgum kauwden.

Moira wees met haar duim naar de deuropening waar haar zoon had gestaan. 'Rardy zou zeggen dat hij daarom drinkt. Ze hebben ons verteld dat Patrick ADHD heeft. En/of ADD. En/of een aandachtstoornis-nog-wat. Mijn moeder zegt: het is gewoon een rotkind. Ik weet het niet. Het is wel mijn zoon.'

'Tuurlijk,' zei Bob.

'Met jou alles goed?'

'Met mij?' Bob leunde iets achterover in zijn stoel. 'Ja, hoezo?'

'Je bent anders.'

'Hoe dan?'

Moira trok met haar schouders terwijl ze opstond. 'Weet niet. Net of je groter bent of zo. Hé, als je Rardy ziet? Zeg tegen hem dat we schoonmaakmiddel nodig hebben, en waspoeder.'

Ze ging naar haar zoon kijken. Bob liet zichzelf uit.

Nadia en Bob zaten ieder op een schommel in het verlaten speeltuintje van Pen' Park. Rochus lag met een tennisbal in zijn bek aan hun voeten in het zand. Bob wierp een schuine blik op het litteken in haar hals, en ze betrapte hem toen hij snel wegkeek.

'Je vraagt er nooit naar. Jij bent de enige die ik ooit ontmoet heb die er niet al binnen vijf minuten of zo naar vroeg.'

Bob zei: 'Het gaat me niet aan. Het is iets van jou.'

Nadia vroeg: 'Waar kom jij vandaan?'

Bob keek om zich heen. 'Hier.'

'Van welke planeet, bedoel ik.'

Bob lachte en schudde zijn hoofd. Eindelijk begreep hij wat mensen bedoelden als ze zeiden dat ze gloeiden van genoegen. Dat was het gevoel dat zij hem bezorgde – als ze niet bij hem was, gewoon in zijn hoofd, of, zoals nu, dichtbij genoeg om elkaar aan te raken (hoewel ze dat nog nooit gedaan hadden) – gloeien van genoegen.

Hij zei: 'Belden mensen vroeger in het openbaar? Nee, ze gingen naar een telefooncel en deden de deur achter zich dicht. Of ze praatten zo zacht ze konden. Maar nu? Nu praten mensen met elkaar over... ja, over hun stoelgang terwijl ze ermee bezig zijn in een openbaar toilet. Ik kan er niet bij.'

Nadia lachte.

'Wat?'

'Niks. Nee.' Ze stak verontschuldigend een hand op. 'Ik heb je je gewoon nog nooit zien opwinden. En ik weet niet eens of ik het wel begrijp. Wat heeft een telefooncel te maken met mijn litteken?'

'Niemand,' zei Bob, 'heeft nog respect voor privacy tegenwoordig. Iedereen wil je elke lullige kleinigheid over zichzelf vertellen. Neem me niet kwalijk. Dat had ik niet moeten zeggen. In het bijzijn van een dame.'

Haar glimlach verbreedde zich. 'Ga door.'

Hij bracht een hand naar zijn oor en merkte het pas toen hij dat gedaan had. Hij liet hem weer zakken. 'Iedereen wil je wat over zichzelf vertellen, iets of alles, maakt niet uit wat, en ze gaan maar door en door. Maar als het moment daar is om je te laten zíén wie ze zijn? Dan hebben ze de ballen niet, Nadia. Geen ballen. En ze camoufleren het door nog meer te praten, door goed te praten wat niet valt goed te praten. En dan schakelen ze over op onzinnig geklets over anderen. Begrijp je wat ik bedoel?'

Haar brede glimlach was een klein glimlachje geworden, nieuwsgierig en tegelijkertijd onpeilbaar. 'Ik weet het niet zo goed.'

Hij merkte dat hij zijn tong over zijn bovenlip liet gaan, een oude tic van hem. Hij wilde dat ze het begreep. Het was belangrijk dat ze het begreep. Zolang hij zich kon herinneren was er niet iets zo belangrijk geweest voor hem.

'Dat litteken van jou?' zei hij. 'Dat is van jou. Je vertelt me erover wanneer het jou past. Of niet natuurlijk. Allebei prima.'

Hij staarde wat naar het kanaal. Nadia gaf hem een klopje op zijn hand en keek ook naar het kanaal, en zo bleven ze nog een tijdje zitten.

Voor zijn werk ging Bob naar Saint Dom's, schoof in een lege kerkbank en nam alles in zich op.

Pastoor Regan verscheen bij het altaar naast de sacristie. Hij was in gewone burgerkleren, maar wel in een zwarte broek. Hij keek even naar Bob zoals hij daar zat.

Bob vroeg: 'Is het echt waar?'

Pastoor Regan kwam door het middenpad naar hem toe. Hij ging zitten in de bank voor Bob. Draaide zich om en sloeg een arm over de rugleuning. 'Het bisdom heeft het gevoel dat we onze pastorale verplichtingen op een betere manier kunnen uitoefenen als we samengaan met Saint Cecilia's, ja.'

Bob zei: 'Maar juist deze kerk verkopen ze,' en hij wees met een vinger naar zijn eigen bank.

Pastoor Regan zei: 'Dit gebouw en de school worden verkocht, ja.'

Bob keek naar de gewelven in de hoogte. Dat had hij al gedaan sinds hij drie was. Er was geen andere kerk waarvan hij ooit de plafonds had leren kennen. En zo had het tot op de dag van zijn dood moeten blijven. Want zo was het geweest voor zijn vader, voor zijn vaders vader. Sommige dingen – een paar zeldzame dingen – moesten voor altijd blijven zoals ze waren.

Bob vroeg: 'En u?'

Pastoor Regan zei: 'Ik ben nog niet ergens anders benoemd.'

Bob zei: 'Ze beschermen de kindermisbruikers en de zakkenwassers die die lui uit de wind hielden, maar wat ze met u willen, hebben ze nog niet bedacht? Dat is verdomme een mooie boel.'

Pastoor Regan keek Bob aan met een blik alsof hij niet wist of hij déze Bob al eerder had ontmoet. En misschien was dat ook niet zo.

Pastoor Regan voeg: 'Is verder alles goed?'

'Ja hoor.' Bob keek naar de kruisbeuken. En niet voor het eerst vroeg hij zich af hoe ze in 1878 – of in 1078, trouwens – de kennis en de middelen hadden gehad om die te maken. 'Ja, zeker, zeker,' zei hij peinzend.

Pastoor Regan zei: 'Ik hoor dat je bevriend geraakt bent met Nadia Dunn.'

Bob keek hem aan.

'Ze heeft in het verleden wat problemen gehad.' Pastoor Regan klopte licht op de leuning van zijn bank. Het klopje ging over in een onwillekeurige streling. 'Sommigen zouden zeggen dat zijzelf problematisch is.'

De doodstille kerk torende hoog boven hen uit en klopte als een derde hart.

'Hebt u vrienden?' vroeg Bob.

Pastoor Regan trok zijn wenkbrauwen op. 'Natuurlijk.'

Bob zei: 'Ik heb het niet over, nou ja, andere priesters. Ik bedoel meer gewoon vrienden. Mensen met wie je, weet ik het, met wie je optrekt.'

Pastoor Regan knikte. 'Ja, Bob. Die heb ik.'

'Ik niet,' zei Bob. 'Ik bedoel, tot nu toe niet.'

Bob keek nog wat om zich heen in de kerk. Hij glimlachte naar pastoor Regan. Hij zei: 'God zegene u,' en stond op.

Pastoor Regan zei: 'Gods zegen.'

Onderweg naar buiten bleef Bob staan bij het wijwatervat. Hij sloeg een kruis en bleef met gebogen hoofd staan. Toen bekruiste hij zich nog eens en liep door de middelste deur naar buiten.

10

Wie zonder zonden is

Neef Marv stond in de deuropening naar de steeg te roken, terwijl Bob de lege vuilnisemmers van de vorige avond bij elkaar zocht. Zoals gewoonlijk hadden de mannen van de vuilniswagen de emmers links en rechts door de steeg geslingerd, en Bob moest wat heen en weer lopen om ze te pakken.

Neef Marv zei: 'Even terugzetten waar ze die dingen gevonden hebben is al te veel voor ze. Dat zou beleefdheid vereisen.'

Bob stapelde twee plastic emmers in elkaar en liep ermee naar de achtermuur. Tussen de emmers en een rattenval, dicht tegen de muur gepropt, zag hij een plastic vuilniszak, van het soort dat op bouwplaatsen wordt gebuikt: extra zware kwaliteit. Hij had hem daar niet zelf achtergelaten. Hij kende de beide bedrijven aan weerszijden – Nails Saigon en Doctor Sanjeev K Seth – goed genoeg om te weten hoe hun afval er normaal gesproken uitzag, en dit was niet van hen. Hij liet de zak nog even liggen om eerst de laatste emmer uit de steeg te halen.

Bob zei: 'Als je nou gewoon wat geld overhad voor een container...'

Neef Marv zei: 'Waarom zou ik geld uitgeven aan een container? De bar is niet meer van mij, weet je nog? "Geld uitgeven aan een container..." Het was niet jouw bar die Chovka heeft afgepakt.'

Bob zei: 'Dat was tien jaar geleden.'

'Achtenhalf,' zei neef Marv.

Bob zette de laatste emmer tegen de muur. Hij liep naar de zwarte plastic zak. Het was een gewone, nauwelijks gevulde huisvuilzak. Iets groots kon er niet in zitten, maar de zak stak naar twee kanten uit, dus wat erin zat moest wel een kleine halve meter lang zijn. Een stuk pijp, misschien, of zo'n kartonnen koker voor een poster.

Neef Marv zei: 'Dottie vindt dat we op vakantie naar Europa moeten gaan. Dat is er van mij geworden, een vent die naar Europa gaat met zijn zus, die van de ene klotetouringcar in de andere springt met een camera om zijn nek.'

Bob stond over de zak gebogen. Hij was dichtgeknoopt, maar zo losjes dat er maar een klein rukje voor nodig was om de zak als een roos te laten opengaan.

'Vroeger,' zei neef Marv, 'als ik op reis wilde, ging ik met Brenda Mulligan of Cheryl Hodge of, of, herinner je je Jillian nog?'

Bob deed nog een stap in de richting van de zak. Nu stond hij er zo dichtbij dat erin kruipen de enige manier was om nog dichterbij te komen. 'Ja, Jillian Waingrove. Dat was een mooie meid.'

'Bloedgeil, was ze. Die hele zomer hebben we samen opgetrokken, weet je nog? Gingen we naar die openluchtbar in Marina Bay. Hoe heette het daar?'

Terwijl hij de zak opentrok en erin keek hoorde Bob zichzelf zeggen: 'The Tent.' Zijn longen vulden zich met lood en zijn hoofd vulde zich met helium. Toen hij even van de zak wegkeek, kantelde de hele steeg naar rechts.

'The Tent,' zei Marv. 'Ja, precies. Bestaat die nog?'

'Ja,' hoorde Bob zichzelf zeggen, en zijn stem bereikte zijn oren als door een tunnel, 'maar hij heet anders nu.'

Hij keek over zijn schouder naar Marv, toonde Marv in zijn ogen wat hij had gezien.

Neef Marv gooide zijn peuk in de steeg. 'Wat is er?'

Bob bleef staan waar hij stond, de rand van de zak in zijn hand. Er steeg een geur van ontbinding op uit de zak, een geur als van stukken rauwe kip die in de zon waren blijven liggen.

Neef Marv keek naar de zak, en weer naar Bob. Hij bleef op de drempel staan.

Bob zei: 'Je moet even...'

Neef Marv: 'Nee, hoor.'

Bob zei: 'Hè?'

Neef Marv zei: 'Ik moet helemaal niks. Oké? Ik sta godverdomme gewoon hier. En ik sta hier omdat...'

Bob zei: 'Je moet even komen kijken...'

'Ik moet helemaal nergens naar komen kijken! Hoor je me?' Neef Marv zei: 'Ik hoef Europa niet te zien of dat kanker-Thailand of wat er verdomme ook maar in die zak zit. Ik sta gewoon hier.'

'Marv.'

Marv schudde driftig zijn hoofd, zoals een kind zou doen.

Bob wachtte.

Neef Marv wreef in zijn ogen, plotseling beschaamd. 'Ooit hadden we een mooie ploeg. Weet je nog? Mensen waren bang voor ons.'

Bob zei: 'Ja.'

Marv stak nog een sigaret op. Hij liep naar de zak zoals je naar een geschrokken wasbeer in de hoek van je kelder zou lopen.

Hij bereikte Bob. Hij keek in de zak.

Een arm, afgehakt net onder de elleboog, lag in een kleine stapel bebloed geld. De arm droeg een polshorloge dat stilstond op kwart over zes.

Neef Marv ademde langzaam uit en bleef uitblazen tot er geen lucht meer in zijn longen zat.

Neef Marv zei: 'Nou, dat is... Ik bedoel...'

'Ik weet het.'

'Dat is...'

'Ik weet het,' zei Bob.

'Dat is weerzinwekkend.'

Bob knikte. 'We moeten er iets mee.'

Neef Marv vroeg: 'Met het geld? Of met de...?'

Bob zei: 'Ik durf te wedden dat het geld precies het bedrag is dat we die avond verloren hebben.'

Neef Marv zei: 'Dus, dan...'

Bob zei: 'Dus dan geven we ze het geld terug. Daar rekenen ze op.'

'En dat?' Marv wees naar de arm. 'Dat daar?'

'Dat kunnen we hier niet laten liggen,' zei Bob. 'Dan hebben we die agent zo weer over de vloer.'

'Maar we hebben niks gedaan.'

'Deze keer niet,' zei Bob. 'Maar hoe denk je dat Chovka of Papa Umarov over ons gaan denken als de politie ons interessant gaat vinden?'

'Ja,' zei Marv. 'Zeker, natuurlijk.'

'Ik wil wel dat je scherp blijft, Marv.'

Marv knipperde met zijn ogen. 'Jij wilt dat ík scherp blijf?'

'Ja, dat wil ik,' zei Bob, en hij droeg de zak naar binnen.

In het keukentje, naast de vierpitsgrill en de friteuse, was een werkblad waarop ze de broodjes klaarmaakten. Bob legde een stuk vetvrij papier op het werkblad. Hij trok krimpfolie van een rol aan de muur. Hij tilde de arm uit de spoelbak, waarin hij hem had afgespoeld en rolde hem in de krimpfolie. Toen hij stevig was ingepakt legde hij hem in het vetvrije papier.

Marv keek toe vanuit de deuropening, een blik van walging op zijn ontstelde gezicht.

Neef Marv zei: 'Alsof je zoiets al duizend keer eerder hebt gedaan.'

Bob wierp hem een blik toe. Neef Marv knipperde en keek naar de vloer.

Neef Marv zei: 'Je vraagt je af, als jij niet over dat horloge was begonnen, misschien...'

'Nou,' zei Bob, een beetje vinniger dan hij bedoeld had. 'Dat vraag ik me helemaal niet af.'

Neef Marv zei: 'Maar ik wel.'

Bob plakte de einden van het vetvrije papier vast met tape, waarna de arm enigszins vermomd leek als een dure biljartkeu of een stokbrood. Bob deed hem in een sporttas.

Hij en Marv liepen de keuken uit naar de bar en troffen daar Eric Deeds aan, met zijn handen ineengeslagen op de bar, gewoon een man die op zijn drankje wacht.

Ze liepen beiden naar hem toe.

'We zijn dicht,' zei neef Marv.

Eric zei: 'Schenken jullie ook sneeuwwitjes?'

'En aan wie zouden we zoiets serveren dan?' vroeg Marv. 'Lieve tienermeisjes?'

Bob en neef Marv liepen om de bar heen en staarden Deeds aan.

Eric ging staan. 'Jullie deur was niet op slot, dus ik dacht...'

Marv en Bob keken elkaar aan.

'Niet beledigend bedoeld, hoor,' zei neef Marv tegen Eric Deeds, 'maar gewoon oprotten. Nu.'

'Dus geen sneeuwwitje?' Eric liep naar de deur. 'Leuk om je te zien, Bob.' Hij zwaaide. 'En doe mijn liefs aan Nadia, kerel.'

Eric liep naar buiten. Marv holde naar de deur en gooide het slot erop.

Neef Marv zei: 'Lopen wij hier als een stel malloten het ontbrekende stuk van de Eenarmige Man naar elkaar over te gooien, is die rotdeur niet op slot.'

Bob zei: 'Nou ja, er is niks gebeurd.'

'Maar er had iets kunnen gebeuren.' Hij zuchtte. 'Ken je die knul?'

'Dat is die vent waar ik je over vertelde.'

'Die beweert dat het zijn hond is?'

'Ja.'

'Hij is niet goed bij zijn hoofd, die vent.'

Bob vroeg: 'Ken je hem?'

Neef Marv knikte. 'Hij woont in Mayhew Street, in Saint Cecilia's. Als je van de oude stempel bent, en iemand komt niet uit jouw buurt, dan kon het net zo goed een Vlaming zijn of zo. Die jongen deugt niet. Heeft een paar keer gezeten, plus een keer een maand in een gesticht, als ik me goed herinner. Die hele familie Deeds was een generatie geleden al rijp voor een gesloten inrichting.' Neef Marv zei: 'Hier en daar wordt wel gezegd dat hij de man is die Glory Days heeft vermoord.'

Bob zei: 'Dat heb ik gehoord, ja.'

Neef Marv zei: 'Van de planeet af geschopt. Zeggen ze.'

'Tja...' zei Bob, waarop hij, om woorden verlegen, de sporttas oppakte en de achterdeur uit liep.

Toen hij weg was, vulde Marv de spoelbak in de bar met het bebloede geld. Hij deed de sodafontein aan en zette de sproeier op het geld.

Hij stopte. Hij staarde naar het dunne bloed.

'Beesten,' fluisterde hij, en hij sloot zijn ogen voor al dat bloed. 'Monsters.'

In Pen' Park gooide Bob een stok voor zich uit over het pad en Rochus schoot erachteraan. Hij bracht hem terug en liet hem voor Bobs voeten vallen, waarop Bob hem opnieuw uit alle macht weggooide. Terwijl Rochus het pad af racete, voelde Bob in de sporttas en greep de ingepakte arm. Hij keerde zich naar het Pen-kanaal en wierp de arm als een strijdbijl van zich af. Hij zag hoe het ding een hoge boog maakte, in de lengte wiekend zijn hoogste punt bereikte en toen snel viel. Hij kwam midden in het kanaal neer met een grotere plons dan Bob had verwacht. Met meer lawaai ook. Zo hard dat hij bang was dat de passerende auto's aan de overkant van het water zouden stoppen. Maar ze stopten niet.

Rochus kwam terug met de stok.

'Braaf beest,' zei Bob.

Toen Bob opnieuw gooide, stuiterde de stok via het asfalt tot een eind naast het pad. Rochus holde door het park.

Bob hoorde banden achter zich. Hij draaide zich om in de verwachting de pick-up van een parkwachter te zien, maar het was inspecteur Torres die zijn kant op kwam rijden. Bob had geen idee of hij iets had gezien. Torres hield stil, stapte uit en liep naar Bob toe.

Torres zei: 'Hé, meneer Saginowski.' Hij wierp een blik op de lege tas aan Bobs voeten. 'We hebben ze nog niet te pakken.'

Bob keek hem vragend aan.

'De lui die jullie bar hebben beroofd.'

'O.'

Torres lachte. 'Dat herinner je je nog wel, toch?'

'Natuurlijk.'

'Of ben je al zo vaak beroofd dat het allemaal door elkaar begint te lopen?'

Rochus kwam naar hen toe gehold, liet de stok los, hijgde. Bob gooide de stok weg en Rochus ging er weer vandoor.

'Nee,' zei Bob. 'Ik weet het nog.'

'Mooi. Dus, nou ja, we hebben ze nog niet.'

'Dat dacht ik al niet,' zei Bob.

Torres zei: 'Je dacht al niet dat wij ons werk deden?'

Bob zei: 'Nee, hoor. Ik heb altijd gehoord dat berovingen lastig zijn om een dader voor op te pakken.'

Torres zei: 'Dus eigenlijk hoor ik je zeggen dat wat ik doe voor mijn brood zinloos is.'

Er was geen winnen aan, aan zo'n gesprek, dus deed Bob er het zwijgen toe.

Na een poosje vroeg Torres: 'Wat is dat met die tas?'

Bob zei: 'Daar bewaar ik de riem en ballen en poepzakjes en zo in.'

Torres zei: 'Hij is leeg.'

Bob zei: 'Heb net het laatste poepzakje gebruikt, en een bal verspeeld.'

Rochus kwam op een drafje naderbij, liet de stok los. Bob gooide hem weg, en weg was ook de hond.

Torres zei: 'Richie Whelan.'

Bob vroeg: 'Wat is er met hem?'

'Ken je die nog?'

Bob zei: 'Zijn vrienden waren vorige week bij ons in de bar om op hem te drinken.'

Torres vroeg: 'Om op hem te drinken, hoezo?'

'Op de laatste keer dat hij gezien is.'

'En dat was in jullie bar.'

Bob zei: 'Ja, hij vertrok. Liep de deur uit om wat wiet te scoren, heb ik altijd gehoord.'

Torres knikte. 'Ken jij een zekere Eric Deeds? Een blonde vent?'

Bob zei: 'Weet ik niet. Ik bedoel, misschien, maar er gaat me zo geen lichtje op.'

Torres zei: 'Ik hoorde dat hij eerder die dag onenigheid had gehad met Whelan.'

Bob schonk Torres een hulpeloze glimlach met bijpassend schouderophalen.

Torres knikte en trapte een kiezel weg met de punt van zijn schoen. '"Wie er zonder zonden is, laat hem naderbij komen."'

Bob zei: 'Sorry?'

Torres zei: 'Standpunt van de kerk over wie ter communie kan gaan. Als je geweten schoon is, hap toe. Zo niet, toon berouw en hap dan toe. Maar jij neemt nog steeds geen deel aan dit sacrament. Ben je vergeten ergens berouw voor te tonen, Saginowski?'

Bob zei niets. Hij gooide de stok nog eens weg voor Rochus.

Torres zei: 'Kijk naar mij, wat ik niet allemaal verkloot. Het is een moeilijke weg om te gaan. Maar aan het eind van de dag ga ik biechten. Dat is beter dan therapie of de AA. In het reine komen met God, en de volgende ochtend ontvang ik Hem bij de heilige communie. Maar jij? Niets van dat alles.'

Rochus bracht de stok terug, maar deze keer was Torres degene die hem oppakte. Hij hield hem een flinke poos in de lucht, tot Rochus begon te janken. Het was een ijl, hoog geluid dat Bob nog niet eerder van hem had gehoord. Maar ja, Bob had ook niet de gewoonte om zijn hond te treiteren. Net op het moment dat Rochus de stok uit Torres' hand wilde trekken, maakte de agent een zwaai met zijn arm en liet de stok vliegen. Rochus ging erachteraan.

Torres zei: 'Werkelijk berouw en boetedoening, meneer Saginowski – denk er eens over. Leuke hond.'

Hij liep weg.

11

We gaan dood

Nadat Torres was vertrokken, wandelde Bob nog wat door het park, maar hij kon zich er niets van herinneren totdat hij en Rochus ineens weer voor zijn auto stonden. Hij voelde zich zo licht in zijn hoofd dat hij niet zeker wist of hij wel durfde te rijden; hij bleef een tijdje met zijn hond naast de auto staan en bestudeerde de barse winterhemel, waarin de zon gevangenzat achter een sluier van ondoorzichtig grijs. Over een paar maanden, als de arm hier ergens langs de oever aanspoelde, zou Torres dan het verband leggen? Zou hij dan achter Bob aan komen?

Hij zit nu al achter je aan.

Bob haalde diep adem, hield die even vast en zuchtte. Deze keer werd hij er niet duizelig van.

Hij hield zichzelf voor dat het allemaal goed kwam. Zeker.

Hij stapte in, keek naar zichzelf in de achteruitkijkspiegel en zei het hardop. 'Het komt allemaal goed.'

Niet dat hij zichzelf geloofde, maar ja, wat kon je eraan doen?

Hij reed zijn buurt in, en naar huis om Rochus weg te brengen. Toen ze uitstapten kwam Nadia de voordeur uit.

Nadia zei: 'Ik kwam langs voor zijn middagwandeling. Ik wist me geen raad. Staat je telefoon wel aan?'

Bob keek naar zijn telefoon. 'Trilfunctie. Ik heb hem niet gevoeld.'

'Ik heb je tig keer gebeld.'

Op zijn scherm stond GEMISTE OPROEP. NADIA (6). 'Ik zie het.'

Ze hield haar hoofd schuin. 'Ik dacht dat je moest werken vandaag.'

Bob zei: 'Is ook zo. Ik moest alleen... Ja, nou. Te ingewikkeld om nu op in te gaan. Maar ik had je moeten bellen. Het spijt me.'

'O, nee, nee. Al goed.'

Bob liep de veranda op met Rochus, die zich voor Nadia's voeten op zijn rug rolde. Ze krabbelde hem op zijn borst.

Bob vroeg: 'Ken jij ene Eric Deeds?'

Nadia hield haar blik naar beneden gericht en ging door met krabben. 'Echt kennen, nee, maar ik weet wie het is. Gewoon van uit de buurt.'

Bob zei: 'Zoals hij het zei, dacht ik dat je...'

'Dacht je dat ik wat?'

'Niks. Nee. Ik weet niet wat ik...'

Nu keek ze hem wel aan. Ze keek hem aan met iets in haar blik wat hij nog niet eerder had gezien. Iets wat hem waarschuwde om rechtsomkeert te maken en er zo hard hij kon vandoor te gaan.

'Waarom zaag je me er zo over door?'

'Wat? Ik stelde gewoon een vraag.'

Ze zei: 'Je insinueerde iets.'

'Helemaal niet.'

'En nu zoek je gewoon ruzie met me.'

'Dat is niet waar.'

Ze kwam overeind. 'Weet je? Op dit soort gekut zit ik niet te wachten. Oké?'

Bob zei: 'Ho nou. Wat gebeurt hier?'

'Jij denkt zeker dat je zomaar een beetje met me kunt sollen, dat je een boksbal gevonden hebt om tik, tik, tik met je grote vuist tegenaan te meppen?'

'Wat?' zei Bob. 'Jezus. Nee.'

Ze liep langs hem heen. Bob stak een hand naar haar uit, en bedacht zich vervolgens, maar toen was het al te laat.

'Raak me godverdomme niet aan.'

Hij deed een stap terug. Ze priemde een vinger in de richting van zijn gezicht en ging hollend de trap af.

Op de stoep keek ze om. 'Klootzak,' zei ze, met tranen in haar ogen.

Ze liep weg.

Bob bleef achter zonder enig idee hoe hij het had klaargespeeld om het zo grondig te verknallen.

Eenmaal terug in de bar sloot Bob zich een vol uur op in het achtervertrek met een haardroger en het natte geld. Toen hij naar buiten kwam was de ruimte nog zo goed als verlaten, er zaten alleen een paar oude mannen aan het uiteinde van de bar goedkope whisky te drinken. Neef Marv en Bob stonden aan het andere uiteinde.

Bob zei: 'Ik stelde gewoon een vraag en alles gleed op z'n kant.'

Neef Marv zei: 'Ja, en al gaf je ze een joekel van een diamant, dan kreeg je nog gezeur over hoe zwaar die was.' Hij sloeg een pagina van zijn krant om. 'Weet je zeker dat hij niks heeft gezien?'

'Torres?' vroeg Bob, 'honderd procent.' Maar echt zeker wist hij het niet.

De voordeur ging open en Chovka kwam binnen, gevolgd door Anwar. Ze liepen langs de drie oude mannen en verder langs de bar tot bij de krukken tegenover neef Marv en Bob. Ze klommen op een kruk. Ze zetten hun ellebogen op de bar. Ze wachtten.

De drie oude mannen – Pokaski, Limone en Imbruglia – hadden geen woord van overleg nodig om tegelijkertijd op te staan en naar de pooltafel te verkassen.

Neef Marv veegde de bar voor Chovka schoon, hoewel hij het een minuut voor ze binnenkwamen nog had gedaan. 'Hallo.'

Chovka negeerde hem. Hij keek Anwar aan. Toen keken ze beiden naar Bob en neef Marv. Chovka voelde in zijn zak. Anwar voelde in de zijne. Beide mannen haalden tegelijk hun hand weer tevoorschijn. Ze legden ieder een pakje sigaretten en een aansteker op de bar.

Bob rommelde wat onder de bar en kwam tevoorschijn met de asbak die hij daar bewaarde voor Millie. Hij zette hem tussen hen in. Ze staken hun sigaret aan.

Bob zei: 'Iets drinken, Chovka?'

Chovka rookte. Anwar rookte.

Bob zei: 'Marv.'

Neef Marv vroeg: 'Wat?'

Bob zei: 'Anwar drinkt Stella.'

Neef Marv ging naar de ijskast. Bob pakte een fles Midleton Ierse whisky van de bovenste plank. Hij schonk een royaal glas en zette dat voor Chovka neer. Neef Marv kwam terug met een Stella Artois en zette dat Anwar voor. Bob pakte een viltje, tilde het bier op en schoof er het viltje onder. Toen trok hij een bruine envelop vanonder de kassa en legde die op de bar.

Bob zei: 'De biljetten zijn nog een beetje vochtig, daarom heb ik ze in een ziplock gedaan. Maar het is er allemaal.'

Chovka zei: 'Een ziplock.'

Bob knikte. 'Ik was van plan om ze, nou ja, in een droogtrommel te doen, maar die hebben we hier niet, en dus heb ik mijn best gedaan met een haardroger. Maar als u ze uitlegt op een tafel of zo, zullen ze morgenvroeg vast weer knisperen.'

'Hoe zijn ze eigenlijk nat geworden?'

'We hebben ze moeten schoonmaken,' zei Bob.

'Zat er iets op?' Chovka's ogen waren doodstil.

'Ja,' zei Bob.

Chovka bestudeerde de borrel die Bob voor hem had neergezet. 'Dit is niet wat je me de vorige keer hebt gegeven.'

Bob zei: 'Dat was de Bowmore 18. Die vond u naar cognac smaken. Volgens mij vindt u deze lekkerder.'

Chovka hield zijn glas tegen het licht. Hij snoof eraan. Keek naar Bob. Hij zette het glas aan zijn lippen en nam een voorzichtig slokje. Hij zette het glas op de bar. 'We gaan allemaal dood.'

'Sorry?' zei Bob.

'Iedereen,' zei Chovka. 'We gaan allemaal dood. En dat gebeurt op ik weet niet hoeveel verschillende manieren. Anwar, heb jij je grootvader nog gekend?'

Anwar sloeg de helft van zijn Stella in één teug achterover. 'Nee, die is al een hele tijd dood.'

'Bob,' zei Chovka, 'jouw grootvader, leeft die nog? Een van beiden?'

'Nee, meneer.'

'Maar hebben ze een mooi leven gehad?'

'De een is net voor zijn veertigste overleden,' zei Bob, 'de ander is ruim zestig geworden.'

'Maar ze hebben op deze aarde geleefd. Ze hebben geneukt en ruziegemaakt en kinderen op de wereld gezet. Ze dachten dat hun tijd de echte tijd was, het allerbelangrijkst. En toen gingen ze dood. Want we gaan allemaal dood.' Hij nam nog een slok van zijn borrel en herhaalde: 'Iedereen gaat dood.' Hij zei het zacht fluisterend. 'Maar voor die tijd?' Hij draaide een halve slag op zijn kruk en gaf Anwar zijn glas. 'Moet je deze whisky eens proeven, man.'

Hij gaf Anwar een klap op zijn rug. Hij lachte.

Anwar nam een voorzichtig slokje. Hij gaf het glas terug. 'Lekker.'

'Lekker.' Chovka snoof. 'Jij hebt geen benul van de goede dingen des levens, Anwar. Dat is jouw makke. Drink je bier.' Chovka leegde zijn glas en keek daarbij indringend naar neef Marv. Toen naar Bob. 'Jij hebt verstand van de goede dingen des levens, Bob.'

'Dank u.'

'Volgens mij begrijp jij een hoop meer dan je laat merken.'

Bob zei niets.

Chovka zei: 'Jullie worden het loket.'

Neef Marv vroeg: 'Vanavond?'

Chovka schudde zijn hoofd.

Ze wachtten.

Chovka zei: 'Super Bowl Sunday.'

En daarmee stonden Anwar en hij op van de bar. Ze pakten hun sigaretten en aansteker. Ze liepen naar de deur en waren verdwenen.

Bob en neef Marv bleven als verstijfd achter, en Bob voelde zich opnieuw zo licht in zijn hoofd dat het hem niet zou verbazen als hij over tien minuten wakker werd op de vloer, zonder enig besef van hoe hij daar terechtgekomen was. Het vertrek tolde niet, dat niet precies, maar het werd aan één stuk door donker en weer licht, donker en licht.

Marv zei: 'Is je opgevallen dat hij het niet één keer over mij heeft gehad, iets aan mij vroeg of tegen me zei? De enige keer dat hij mij aankeek, was met een blik alsof ik een stuk wc-papier was dat tussen zijn billen was blijven plakken en waar hij nog een keer met zijn hand naartoe moest.'

'Dat heb ik helemaal niet doorgehad.'

'Nee, dat heb jij helemaal niet doorgehad, omdat jij de vleesgeworden klefheid was tegen die man. "Hier is uw mint julep, alstublieft, meneer, en neem me vooral niet kwalijk als het niet smaakt als de cognac van achttien jaar oud die ik u vorige keer schonk toen u even kwam controleren hoe wij slaven ons uitsloofden." Hou je me voor de gek of zo? Hij wil me goddomme dood hebben.'

'Nee, dat is onzin. Je kletst.'

'Ik klets helemaal niet. Hij denkt dat die dooie kloot van een Rardy en ik...'

'Rardy is niet dood.'

'O, nee? Heb jij hem nog gezien dan, de laatste tijd?' Hij wees naar de deur en fluisterde hees: 'Die ellendige Tsjetsjeen denkt dat Rardy en ik die zaak samen met het eenarmige lijk hebben uitgebroed. Van jou denkt hij dat je te stom bent of te, weet ik het, te aardig om hem te beroven. Maar ik krijg die doodsblik van hem.'

'Als hij dacht dat jij zijn vijfduizend had, waar had hij dan die vijfduizend in de zak vandaan?'

'Wat?'

'De lui die ons beroofden gingen er met vijfduizend dollar vandoor. In die zak zat vijfduizend dollar, samen met de' – hij keek naar de pooltafel om er zeker van te zijn dat de drie oude mannen nog steeds daar waren – 'hand. Hij heeft dus zijn geld bij die knul aangetroffen en naar ons teruggestuurd.'

'O ja?'

'Wat betekent dat hij niet denkt dat jij het hebt, als hij het naar ons heeft gestuurd en wij het gewoon aan hem hebben teruggegeven.'

'Hij kan denken dat ik die overvallers heb aangezet om het te doen en dat zij het geld onder zich hielden terwijl ik wachtte tot de boel een beetje tot rust zou komen. En zelfs al denkt hij dat niet, dan zit het inmiddels in zijn hoofd dat ik een stuk vuil ben. En niet te vertrouwen. En zulke gasten vragen zich niet af of hun opvattingen wel rationeel zijn. Ze komen op een dag gewoon tot de conclusie dat je een vlieg bent en dat het morgen vliegenmepdag is.'

'Hoor je wel wat je zegt?'

Marv had de zweetdruppels op zijn voorhoofd staan. 'Ze gaan deze bar gebruiken als loket op Super Bowl Sunday. En dan gaan ze hem overvallen en schieten ons overhoop of laten ons net lang genoeg in leven tot alle andere idioten van Tsjetsjeniërs en gestoorde Georgiërs die op die avond hun geld in onze kluis hebben laten droppen, geloven dat wij die overval beraamd hebben. En dan gaan ze drie uur lang met ons aan de slag in een of andere kelder tot we geen ogen of oren of ballen meer aan ons lijf hebben en al onze tanden eruit zijn gemept. En dan? Twee kogels, Bob. Twee kogels.'

Hij kwam achter de bar vandaan.

'Marv.'

Neef Marv wuifde het weg en liep in de richting van de deur.

Bob zei: 'Ik kan de drukte van een donderdagavond niet in m'n eentje aan.'

'Bel een uitzendbureau.'

'Marv!'

Marv hief zijn armen in een je-kan-me-watgebaar en duwde de deur open naar het daglicht. De deur viel achter hem dicht en Bob stond achter de bar – de bejaarde mannen keken even naar hem om vanaf de pooltafel en richtten zich weer op hun glazen.

Toen Bob na afloop van een lange avond zijn straat in liep, trof hij Nadia rokend aan op zijn veranda. Bob voelde zijn gezicht oplichten als vuurwerk op een feestdag.

Bob zei: 'Je staat te verkleumen hierbuiten.'

Ze schudde haar hoofd. 'Ik ben alleen naar buiten gegaan om te roken. Ik was binnen met Rochus.'

Bob zei: 'Het kan me niet schelen of je hem kende. Het kan me niet schelen. Hij zei dat ik je de groeten van hem moest doen, alsof er meer was.'

Nadia vroeg: 'Wat zei hij nog meer?'

Bob zei: 'Hij zei dat Rochus van hem is.'

Ze gooide haar sigaret op straat. Bob hield de deur voor haar open en ze ging naar binnen.

In de keuken liet hij Rochus uit zijn bench en nam hem op schoot aan tafel. Nadia pakte twee biertjes uit de ijskast, schoof er een richting Bob.

Ze dronken een poosje zonder iets te zeggen.

Nadia zei: 'Nou, Eric ziet er wel leuk uit, hè? En op een avond had ik daar genoeg aan. Ik bedoel, ik kende alle verhalen wel over dat hij een gaatje in zijn hoofd had en zo, maar op een gegeven moment ging hij een tijdje de stad uit en toen hij terugkwam leek hij rustiger geworden, alsof hij zijn boze geesten overwonnen had, snap je? Ze ergens achter slot en grendel gezet. Een tijdje leek het alsof hij veranderd was. En toen hij opnieuw doordraaide, was ik er al in meegezogen.'

Bob zei: 'Vandaar jouw container.'

Nadia keek naar Rochus en schudde haar hoofd. 'Nee. We zijn al in geen jaar of zo meer... samen geweest.' Ze schudde haar hoofd nog eens, als om zichzelf te overtuigen. Toen: 'Oké, hij sloeg Rochus, dacht dat hij dood was en dumpte hem in mijn afvalcontainer, zodat ik...?'

Bob zei: 'Aan hem zou denken? Geen idee.'

Nadia liet het tot zich doordringen. 'Dat zou wel typisch Eric zijn. Jezus, het spijt me zo.'

Bob zei: 'Je wist het niet.'

Nadia kwam op haar knieën voor Bob en Rochus zitten. Ze nam de kop van de hond in haar hand.

Nadia zei: 'Rochus. Ik zit niet zo goed in mijn heiligen. Waar is Rochus de heilige van?'

Bob zei: 'Honden. Beschermheilige van honden.'

Nadia zei: 'O, dus.'

Bob zei: 'En apothekers, alleenstaanden en de valselijk beschuldigden.'

Nadia zei: 'Die gast heeft een hoop op zijn bordje.' Ze hief haar bier. 'Wat zou het ook, op de heilige Rochus.'

Ze klonken.

Ze ging weer zitten en liet de zijkant van haar duim langs haar litteken glijden. 'Denk jij ooit dat sommige dingen te erg zijn voor, weet ik het, vergiffenis?'

Bob vroeg: 'Van wie?'

Nadia wees omhoog. 'Je weet wel.'

Bob zei: 'Soms heb ik van die dagen dat ik denk, ja, dat er van sommige zonden geen weg terug is. Hoeveel goeds je daarna ook doet, de duivel staat gewoon te wachten tot je lichaam het opgeeft, want je ziel heeft hij al. Of misschien is er geen duivel, maar ga je dood en zegt God: "Het spijt me, je komt er niet in. Je hebt iets onvergeeflijks gedaan. Je staat er verder alleen voor. Voor eeuwig."'

Nadia zei: 'Ik zou voor de duivel gaan.'

'O ja?' zei Bob. 'Maar op andere momenten geloof ik niet dat God het probleem is. We zijn het zelf, snap je?'

Ze schudde haar hoofd.

Bob zei: 'We laten onszelf niet uit onze eigen kooi.'

Hij zwaaide naar haar met Rochus' poot. Ze lachte, dronk haar bier.

'Ik hoorde dat de bar niet van neef Marv is,' zei ze, 'maar van een paar onderwereldtypes. Maar jij bent geen crimineel, dus waarom werk je daar dan?'

Bob zei: 'Neef Marv en ik kennen elkaar al heel lang. Hij is trouwens ook echt mijn neef. Hij en zijn zus, Dottie. Mijn moeder en hun vader waren zussen.'

Nadia schoot in de lach. 'Gebruikten ze elkaars make-up?'

'Wat heb ik gezegd? Nee, ik bedoel... je weet best wat ik bedoel.' Hij lachte. Het was een oprechte lach en hij kon zich niet herinneren wanneer hem dat voor het laatst was overkomen. 'Waarom steek je de draak met me?'

Nadia zei: 'Omdat het leuk is.'

De stilte was verrukkelijk.

Ten slotte zei Bob: 'Marv vond zichzelf ooit een harde jongen. Hij runde een tijd een ploeg en we verdienden ook best aardig.'

Nadia vroeg: 'Maar nu hebben jullie die ploeg niet meer?'

Bob zei: 'Je moet vuil en gemeen zijn. Hard is niet genoeg. Er kwamen van die vuile ploegen op. En wij kregen slappe knieën.'

Nadia zei: 'Maar je zit nog wel in het circuit.'

Bob schudde zijn hoofd. 'Ik sta gewoon achter de bar.'

Ze keek hem nauwlettend aan over haar bier heen en liet hem merken dat ze hem niet echt geloofde, maar dat ze er ook niet moeilijk over zou doen.

Nadia zei: 'Denk je dat hij er gewoon mee zal ophouden?'

'Eric?' vroeg hij. 'Daar lijkt hij me niet het type voor.'

'Klopt. Hij heeft een jongen vermoord die Glory Days heet. Nou ja, dat was niet zijn...'

Bob zei: 'Richie Whelan, ja.'

Nadia knikte. 'Eric heeft hem vermoord.'

'Waarom?'

'Weet ik het. Eric is niet zo van waarom.' Ze ging staan. 'Nog een biertje?'

Bob aarzelde.

'Vooruit, Bob, doe eens gek.'

Bob straalde. 'Waarom ook niet?'

Nadia zette nog een biertje voor hem neer. Ze wreef Rochus over zijn kop. Ze ging zitten. Ze dronken.

Bob bracht Nadia tot haar voordeur. 'Slaap lekker.'

'Slaap lekker, Bob. Bedankt.'

'Waarvoor?'

Ze haalde haar schouders op. Ze legde haar hand op zijn schouder en gaf hem een snelle zoen op zijn wang. Toen was ze weg.

Bob liep naar huis. Het was stil op straat. Hij kwam bij een lang stuk ijs op de stoep. In plaats van eromheen te lopen, ging hij er al glijdend overheen, armen wijd voor evenwicht. Als een klein kind. Aan de andere kant gekomen keek hij met een glimlach op naar de sterren.

Thuis haalde hij de bierblikjes van tafel. Hij spoelde ze om en deed ze in een plastic tas die aan de knop van een la hing. Hij glimlachte naar Rochus, die opgerold lag te slapen in een hoek van zijn bench. Hij deed het licht in de keuken uit.

Hij deed de lamp in de keuken weer aan. Maakte de bench open. Rochus sloeg zijn ogen op, staarde hem aan. Bob bekeek de nieuwe toevoeging aan de bench van Rochus: de paraplu die Eric Deeds eerder had meegenomen.

Bob trok hem uit de spijlen van de bench en bleef er nog lang mee in zijn handen zitten.

12

Met zitten had het niks te maken

Laat op vrijdagochtend zat Eric Deeds achter in de Hi-Fi-pizzeria met een paar pizzapunten voor zich. Eric zat altijd vrijwel achter in elke gelegenheid waar hij iets at of dronk. Hij bevond zich niet graag meer dan drie meter uit de buurt van een nooduitgang. Voor het geval dat, had hij eens tegen een meisje gezegd.

'Voor het geval wat?'

'Voor het geval ze me komen halen.'

'En wie zijn "ze"?'

'Er is altijd een "ze",' had Eric gezegd terwijl hij haar in de ogen keek – dit was Jeannie Madden, zijn vriendinnetje van toen – en hij dacht dat hij daarin oprecht begrip voor hem las. Eindelijk – godverdomme eindelijk – iemand die hem begreep.

Ze streelde zijn hand. 'Er is altijd wel een "ze", hè?'

'Ja,' zei Eric. 'Ja.'

Drie uur later dumpte ze hem. Ze had een boodschap ingesproken op het logge antwoordapparaat dat Erics vader nog altijd in bedrijf hield bij de voordeur van hun huis op Parker Hill. Ze begon vriendelijk, over hoe het aan haar lag, niet aan hem, over hoe mensen nou eenmaal uit elkaar groeien, heus, en dat ze hoopte ooit op een dag gewoon vrienden te kunnen zijn, maar dat als hij het in zijn domme hersens haalde om haar ook maar iets van zijn zieke Eric-shit te flikken, als hij er godverdomme alleen maar aan dacht, dan zouden haar vier broers als ze hem op Bucky Avenue zagen lopen uit hun auto springen en hem finaal naar de tering slaan. Zoek hulp, Eric. Zorg dat je wat profi hulp krijgt, klootzak. Maar laat mij met rust.

Hij liet haar met rust. Amper een halfjaar later trouwde ze met Paul Giraldi, de elektricien. Ze had inmiddels drie kinderen.

En Eric zat nog altijd met een half oog op de nooduitgang achter in dezelfde pizzeria. Alleen.

Hij overwoog even er gebruik van te maken op deze ochtend, toen die vetzak, neef Marv, richting zijn tafel kwam, maar hij wilde geen opschudding veroorzaken en opnieuw zijn privileges in deze tent verspelen. Hij was in 2005 een halfjaar niet welkom geweest na het voorval met de Sprite en de groene pepers, en dat waren zes van de langste maanden van zijn leven geweest, want Hi-Fi had goddomme de lekkerste pizza in de geschiedenis van de pizza.

Dus hij bleef zitten waar hij zat terwijl neef Marv zijn jas uittrok en tegenover hem plaatsnam.

Neef Marv zei: 'Ik schenk nog steeds geen sneeuwwitjes.'

Eric at verder, onzeker over waar dit naartoe zou gaan.

Neef Marv schoof het zout en de strooibus met Parmezaanse kaas uit hun beider blikveld en staarde hem over het tafelblad aan. 'Wat heb je tegen mijn neef?'

'Hij heeft mijn hond afgepakt.' Eric schoof de Parmezaanse kaas terug.

Neef Marv zei: 'Ik hoorde dat je dat beest sloeg.'

'Daar voelde ik me later rot over.' Eric nipte van zijn cola. 'Telt dat?'

Neef Marv keek hem aan op een manier zoals veel mensen deden: alsof ze zijn gedachten konden lezen, en die wat zielig vonden.

Ik zal zorgen dat je jezelf nog eens zielig vindt, dacht Eric. Ik zal je laten huilen, bloeden en smeken.

Neef Marv vroeg: 'Wou je die hond zelfs maar terug?'

Eric zei: 'Weet ik niet. Ik wil alleen niet dat je neef hier door de buurt loopt met een hoge pet op van zichzelf. Hij moet maar leren.'

Neef Marv vroeg: 'Wat moet hij leren?'

Eric zei: 'Dat hij zich niet met mijn zaken had moeten bemoeien. En nu bemoei jij je met me. Dacht je dat ik dat pik?'

'Rustig maar. Ik kom met goeie bedoelingen.'

Eric nam een hap pizza.

Neef Marv zei: 'Heb je ooit gezeten?'

'Gezeten?'

'Ja,' zei Marv. 'In een gevangenis.'

Eric werkte zijn eerste pizzapunt weg, sloeg wat kruimels van zijn hand. 'Ik heb gezeten, ja.'

'O ja?' Marv trok zijn wenkbrauwen op. 'Waar?'

'Broad River.'

Marv schudde zijn hoofd. 'Ken ik niet.'

'Dat is in South Carolina.'

'Shit,' zei Marv, 'hoe kwam je daar terecht?'

Eric haalde zijn schouders op.

'Dus je hebt je straf uitgezeten, wat zal het zijn, een paar jaar, en toen ben je teruggekomen?'

'Zo is het.'

'Hoe was dat, je tijd uitzitten in South Carolina?'

Eric nam de tweede pizzapunt in zijn hand en keek neef Marv aan. 'Met zitten had het niks te maken.'

Alle aandacht die Torres in de tien jaar oude verdwijningszaak van Richie Whelan stak, leverde zo goed als niets op. Die knul was op een avond in rook opgegaan. Was uit Cousin Marv's vertrokken en had gezegd dat hij over een kwartiertje terug zou zijn, zodra hij een paar straten verderop wat wiet had gescoord. Het was een koude avond geweest. Een stuk erger dan gewoon koud eigenlijk – het soort avond dat mensen doet besluiten om blind een kavel bouwgrond in Florida te kopen. Vijftien graden onder nul toen Richie Whelan om kwart voor twaalf de bar verliet. Torres groef nog wat dieper en ontdekte dat die min vijftien door de harde wind moest hebben aangevoeld als min vijfentwintig. Dus daar ging Richie Whelan, haastig over de stoep bij vijfentwintig onder nul, een kou die hem in zijn longen gebrand moest hebben, in de kieren tussen zijn ondertanden. Geen hond op straat die avond, want alleen een wietroker zonder wiet of een cokesnuiver zonder coke zou de moed opgebracht hebben om zulk weer te trotseren voor een middernachtelijk wandelingetje. Zelfs een wandelingetje naar maar drie straten verderop, wat de precieze afstand was tussen Cousin Marv's en het adres waar Whelan ging scoren.

Whelans dealers die avond waren twee sukkels genaamd Eric Deeds en Tim Brennan. Brennan had een paar dagen later een verklaring afgelegd bij de politie en gezegd dat Richie die avond nooit bij hem in zijn flat was geweest. Toen hem werd gevraagd wat zijn relatie was met Whelan, had Tim Brennan in zijn verklaring gezegd: 'Soms kwam hij wat wiet bij me scoren.' Eric Deeds had nooit een verklaring afgelegd. Zijn naam kwam alleen voor in verklaringen van de vrienden met wie Richie Whelan die avond in de bar had gezeten.

Dus, als Torres mocht aannemen dat Brennan geen reden had om te liegen – hij was immers al redelijk open geweest over het feit dat hij drugs dealde aan de vermiste Richie Whelan – dan kon je ervan uitgaan dat Richie Whelan ergens tussen Cousin Marv's en het dealadres van de radar was geraakt.

En Torres kon het vermoeden niet loslaten dat dit detail meer gewicht in de schaal legde dan de rechercheurs die ooit met de zaak-Whelan waren bezig geweest eraan hadden toegekend.

Waarom? zou zijn chef, Mark Adeline, gevraagd hebben (als Torres zo dom zou zijn geweest toe te geven dat hij zich met een onopgeloste zaak van een collega bezighield).

Omdat de klootzak niet ter communie gaat, zou Torres gezegd hebben.

In de film over Torres' leven zou Mark Adeline met een waas van dagend begrip in zijn ogen achteroverzakken in zijn stoel en zeggen: 'Hmm. Daar kon je weleens iets te pakken hebben. Je krijgt drie dagen van me.'

In werkelijkheid had Adeline maar één ding aan zijn kop, en dat was het miserabele oplossingspercentage van overvallen op te krikken. Een heel eind op te krikken. Een lichting nieuwkomers van de academie was onderweg. Dat betekende dat er binnenkort een stel gewone agenten omhoog kon naar burgerkleding. Op alle afdelingen, van Berovingen tot Moordzaken en Zeden, zaten ze te springen om nieuw bloed. En het oude bloed? Zij die in de onopgeloste zaken van collega's doken terwijl hun eigen zaken schimmel en stof verzamelden? Die werden verbannen naar Gevonden Voorwerpen, de Verkeersinspectie, de pr-afdeling of erger, de Havendienst, om scheepvaartregels te handhaven bij vijftien graden onder nul. Evandro Torres had torenhoge stapels dossiers op zijn bureau en een harde schijf die het nauwelijks meer trok. Hij had verklaringen die hij nog moest afnemen over de beroving van een slijterij in Allston, een straatroof in Newbury Street en een bende ramkrakers die apotheken in de hele stad als werkterrein had. Plus de overval bij Cousin Marv's. Plus die woonhuizen in South End, waar steeds maar op klaarlichte dag werd ingebroken. Plus de bestelbusjes in de haven die maar verse vis en diepgevroren vlees bleven kwijtraken.

Plus, plus, plus. De ellende stapelde zich op en bleef zich opstapelen, terwijl de voet van de stapel het begaf en zijn kant op gleed. Voor hij het wist zou hij door de stapel worden verslonden.

Torres liep naar zijn auto en maakte zichzelf wijs dat hij naar de haven ging om de chauffeur die hij van de diefstallen verdacht aan de tand te voelen, de vent die al te toeschietelijk was geweest de laatste keer dat ze elkaar spraken, die zijn kauwgum kauwde zoals een eekhoorn zijn nootjes.

Maar in plaats daarvan reed hij naar de elektriciteitscentrale in Southie, waar juist bij zonsopgang de nachtploeg naar buiten kwam. Hij vroeg de voorman hem Sean McGrath aan te wijzen. McGrath was een van Whelans oude makkers, en volgens iedereen met wie Torres al gesprekjes gevoerd had, de leider van het groepje mannen dat één keer per jaar, op de dag van zijn verdwijning, Glory Days de laatste eer bewees.

Torres stelde zich voor en begon uit te leggen waarom hij was langsgekomen, maar McGrath zwaaide naar een van de andere jongens en riep: 'Hé, Jimmy.'

'Wat is er?'

'Waar gaan we heen?'

'Vaste adres.'

'Naast die winkel?'

Jimmy schudde zijn hoofd, stak een sigaret op. 'Die andere tent.'

Sean McGrath zei: 'Prima.'

Jimmy zwaaide en liep weg met de andere mannen.

Sean McGrath wendde zich weer tot Torres. 'Kwam u praten over de avond dat Richie zoekraakte?'

'Ja. Wat kun je me daarover vertellen?'

'Niks eigenlijk. Hij ging de bar uit. We hebben hem nooit meer teruggezien.'

'En dat is alles?'

'Dat is alles,' zei McGrath. 'Neem gerust van mij aan, niemand vindt het leuk dat dat alles is, maar het is niet anders. Niemand heeft hem daarna ooit nog gezien. Als er een hemel bestaat, en ik kom erin, dan is het eerste wat je mij zult horen vragen niet: "Wie heeft Kennedy vermoord?" of: "Is Jezus hier ook?", nee, dan vraag ik: "Wat is er verdomme met mijn vriend Richie Whelan gebeurd?"'

Torres zag dat de man onrustig stond te bewegen in de ochtendkou en begreep dat hij hem niet heel lang kon vasthouden. 'In je oorspronkelijke verklaring staat dat hij wegging om...'

'Wiet te scoren, ja. De lui waar hij het meestal haalde waren die junk, Tim Brennan, en nog een gast.'

Torres keek in zijn boekje. 'Eric Deeds. Dat stond in je eerste verklaring. Maar nu wil ik je iets vragen.'

McGrath blies in zijn handen. 'Best.'

'Bob Saginowski en neef Marv. Werkten die allebei, die avond?'

Sean McGrath stopte met het geblaas in zijn handen. 'Wou je hun de schuld gaan geven?'

Torres zei: 'Ik probeer alleen...'

McGrath deed een stap dichterbij, en Torres ving de zeldzame geur op van een man die je het echt niet al te lastig moest maken. 'Moet je horen, jij komt naar me toe, je zegt dat je van Berovingen bent. Maar Richie Whelan is niet beroofd. En je laat me hier staan en houdt me aan de praat voor de ogen van alle jongens waar ik mee werk, als een soort verklikker. Dus, je wordt bedankt.'

'Luister, meneer McGrath...'

'Cousin Marv's, hè? Dat is míjn bar.' Hij kwam nog een stap dichterbij, keek Torres uitdagend recht in z'n ogen en ademde zwaar door zijn opengesperde neusgaten. 'En je blijft met je poten van mijn bar af.'

Hij salueerde spottend en liep de straat in, achter zijn vrienden aan.

Toen de deurbel voor de tweede keer klonk, keek Eric Deeds uit het raam van zijn appartement op de tweede verdieping. Hij kon het goddomme niet geloven. Daarbeneden stond Bob. Bob Saginowski. Het probleem. De hondendief. De brave burger.

Eric hoorde de piep van de banden te laat, en toen hij zich omdraaide zag hij zijn vader in zijn rolstoel naar de intercom op de gang rijden.

Eric wees naar hem. 'Ga terug naar je kamer.'

De oude man staarde hem aan als een kind dat nog niet had leren praten. Hij was al negen jaar lang niet meer in staat om te praten en had een hoop mensen ervan weten te overtuigen dat hij zich daar zwak, achterlijk en wat voor onzin nog meer onder voelde, maar Eric wist dat ergens vlak onder zijn huid nog altijd dezelfde smerige schoft huisde. Nog steeds broedend op een manier om je van je stuk te brengen, te jennen, te zorgen dat de grond onder je voeten altijd als drijfzand voelde.

De bel ging opnieuw en de oude man liet zijn vinger over de knoppen op de intercom gaan: Luisteren, Spreken en Openen.

'Afblijven met je tengels, zei ik.'

De oude man kromde zijn vinger en hield hem voor Openen.

Eric zei: 'Ik flikker je zo het raam uit. En als je daar ligt gooi ik die knarsende kutstoel boven op je.'

De oude man verstijfde, zijn wenkbrauwen opgetrokken.

'Zonder flauwekul.'

De oude man glimlachte.

'Heb het lef eens...'

De oude man duwde op Openen en hield de knop ingedrukt.

Eric schoot de woonkamer door en tackelde zijn vader, stootte hem met een rotklap uit zijn rolstoel. De oude man giechelde alleen maar. Hij lag op de vloer naast zijn rolstoel te giechelen, met een vage, afwezige blik in zijn melkbleke ogen, alsof hij tot in de volgende wereld kon kijken en zag dat iedereen daar net zo'n rotte appel was als in deze.

Bob stond net weer op de stoep toen hij de zoemer hoorde. Hij holde terug de trap op. Net op het moment dat de zoemer stilviel was hij bij de deur.

Kut.

Bob belde opnieuw. Wachtte. Belde weer. Wachtte. Hij leunde achterover en keek omhoog naar het raam op de tweede verdieping. Hij ging terug naar de deurbel, drukte nog eens. Na een tijdje gaf hij het op. Op de stoep keek hij opnieuw omhoog naar de tweede, en hij vroeg zich af of een van de huurders misschien de achterdeur had opengelaten. Dat kwam veel voor, of anders had je huurbazen die niet goed in de gaten hielden of het hout rond het slot niet was verrot in de winter en of er geen termieten in waren gekropen. Maar wat moest Bob daarmee – inbreken? Dat soort gehannes lag zo ver achter hem dat het over het leven van een dubbelganger had kunnen gaan, of van een tweelingbroer met wie hij nooit erg close geworden was.

Toen hij zich omdraaide om de straat uit te lopen, stond Eric Deeds ineens pal voor hem, staarde hem aan met dat verknipte licht in zijn gezicht, alsof hij hoge ogen had gegooid in de strijd om zaligverklaring van mensen die een klap van de molen hadden gehad. Hij moest via de brandgang naar hem toe zijn geslopen, bedacht Bob, en nu stond hij voor Bob en zond een vracht energie uit als een hoogspanningskabel die tijdens een storm naar beneden was gekomen, zo stond hij te sissen en te springen op straat.

'Je hebt mijn vader van streek gemaakt.'

Bob zei niets, maar had waarschijnlijk iets gedaan met zijn gezicht waardoor Eric hem nu spottend nadeed met een uitgebreide op-en-neerbeweging van zijn mond en wenkbrauwen.

'Hoe vaak moet je godverdomme aanbellen, Bob, voor je besluit dat de lui die niet opendoen daar ook niet meer aan zullen beginnen, Bob? Mijn ouweheer is stokoud. Wat die nodig heeft is rust en kalmte en dat soort shit.'

'Sorry,' zei Bob.

Dat beviel Eric. Hij glunderde. 'Sorry. Dat moet je zeggen. Het ouwe vertrouwde "sor-ry".' De glimlach bestierf op Erics gezicht, om plaats te maken voor een soort intense troosteloosheid – de blik van een klein dier met een gebroken pootje dat verdwaald was geraakt in een stuk van het bos dat het niet kende – en daarop werd dat troosteloze weer overspoeld door een golf van berekening en kilte. 'Maar goed, je hebt me een wandeling bespaard.'

'Hoe bedoel je?'

'Ik zou sowieso later bij jou zijn langsgekomen.'

Bob zei: 'Dat gevoel had ik al, ja.'

'Ik heb je paraplu teruggebracht.'

Bob knikte.

'Ik had de hond mee kunnen nemen.'

Weer een knikje van Bob.

'Maar dat heb ik niet gedaan.'

'Waarom niet?' vroeg Bob.

Eric keek een ogenblik naar de straat, naar het schaarser wordende ochtendverkeer. 'Hij past niet meer in mijn plannen.'

'Prima,' zei Bob.

Eric haalde met kracht zijn neus op in de koude ochtendlucht en spuugde op de stoep. 'Geef me tienduizend.'

Bob zei: 'Wat?'

'Dollar. Morgenvroeg.'

'Wie heeft er zomaar tienduizend dollar?'

'Jij zou het wel kunnen regelen.'

'Hoe zou ik dat in vredesnaam...?'

'Laten we zeggen, die kluis op kantoor bij Cousin Marv's. Daar zou je kunnen beginnen.'

Bob schudde zijn hoofd. 'Onmogelijk. Daar zit een tijd...'

'Tijdslot op, weet ik.' Eric stak een sigaret op. De lucifer ving een briesje, de vlam vond zijn vinger en hij wapperde met beide tot de lucifer doofde. Hij blies op zijn vinger. 'Dat ding gaat af om twee uur 's nachts en dan heb je negentig seconden om het geld uit de kluis onder de vloer te halen, want anders zet-ie twee stille alarmen in werking, die geen van twee afgaan in een politiebureau of bij een beveiligingsbedrijf. Niet te geloven toch?' Eric keek hem nog maar eens met opgetrokken wenkbrauwen aan en nam een trek van zijn sigaret. 'Ik ben niet hebzuchtig, Bob. Ik heb gewoon wat geld nodig om te investeren. Ik hoef niet alles uit die kluis, alleen tienduizend. Jij geeft mij dat geld, en ik ben weg.'

'Dit is belachelijk.'

'Dan is het maar belachelijk.'

'Je komt niet zomaar even iemands leven binnen banjeren en...'

'Maar zo is het leven juist – dan komt er een vent als ik langs wanneer je net even niet je kop erbij hebt en nergens op rekent. Ik ben vijfenzeventig kilo vleesgeworden Eindtijd, Bob.'

Bob zei: 'Er moet een andere manier zijn.'

Eric Deeds' wenkbrauwen dansten weer op en neer. 'Jij holt nu al je mogelijkheden langs, maar dat zijn normale mogelijkheden voor onder normale omstandigheden. Die heb ik niet in de aanbieding. Ik wil mijn tienduizend. Haal het vannacht, dan kom ik het morgenvroeg oppikken. En weet jij veel, misschien zet ik het wel allemaal in op de Super Bowl omdat ik toevallig wat voorkennis heb. Zorg gewoon dat je morgenvroeg klokslag negen uur thuis bent met tienduizend. Zo niet, dan zal ik net zolang op en neer springen op de kop van die kuthoer Nadia tot haar nek breekt en ze geen gezicht meer overheeft. Dan sla ik de kop van je hond in met een steen. Kijk me recht in mijn ogen, Bob, mag jij zeggen over welk stuk daarvan ik sta te liegen.'

Bob keek hem aan. Niet voor het eerst in zijn leven, en niet voor het laatst, moest hij slikken tegen de misselijkheid die zijn maag deed opspelen in het aangezicht van wreedheid. Hij moest zich tot het uiterste bedwingen om niet in Erics gezicht te kotsen.

'Wat is er toch mis met jou?' vroeg Bob.

Eric hield zijn handen op. 'Zeg maar zo ongeveer alles. Ik ben zo gek als een deur. En jij hebt mijn hond afgepakt.'

'Je wou hem afmaken.'

'Ah, nee.' Eric schudde zijn hoofd alsof hij het zelf geloofde. 'Je hebt gehoord wat ik met Richie Whelan gedaan heb, toch?'

Bob knikte.

Eric zei: 'Een etter, die knul. Die betrapte ik toen hij mijn vriendinnetje wou neuken, dus zeg maar dag met je handje, Richie. Waarom ik over hem begin, Bob? Ik had een partner bij dat dingetje met Richie. En die heb ik nog steeds. Dus ik zeg het maar vast, als mij iets overkomt, zal jij de rest van je afzienbare tijd in vrijheid bezig zijn met je af te vragen wanneer mijn partner verhaal komt halen of even met het bureau belt voor me.' Eric gooide zijn peuk op straat. 'Verder nog iets, Bob?'

Bob zweeg in alle talen.

'Ik zie je morgenvroeg.' Eric liet hem achter op de stoep en liep terug zijn huis in.

'Wie is die vent eigenlijk?' vroeg Bob aan Nadia toen ze Rochus uitlieten in het park.

'Wie hij is?' vroeg Nadia. 'Of "Wie hij is voor mij"?'

De rivier was de vorige avond opnieuw bevroren, maar het ijs begon al te smelten, onder langgerekt gekraak en gesteun. Rochus probeerde herhaaldelijk een poot op het ijs langs de oever te zetten, maar Bob trok hem telkens terug.

'Doe maar voor jou dan.'

'Heb ik je verteld. We hebben een poosje verkering gehad.' Ze haalde haar smalle schouders op. 'We zijn opgegroeid in dezelfde straat. Hij heeft een abonnement op de gevangenis. En het ziekenhuis. Ze zeggen dat hij Richie Whelan heeft vermoord, in 2004.'

'Ze zeggen het, of hij zegt het?'

Ze haalde opnieuw haar schouders op. 'Dat komt op hetzelfde neer.'

'Waarom heeft hij Richie Whelan vermoord?'

'Ik heb begrepen dat hij indruk wilde maken op een paar harde criminelen in Stoughton Street.'

'De ploeg van Leo.'

Ze keek hem aan, haar gezicht een bleke maan onder haar zwarte capuchon. 'Dat zeggen ze.'

'Dus het is een slechterik.'

'Iedereen is slecht.'

'Nee,' zei Bob, 'dat is niet waar. De meeste mensen zijn oké.'

'O, ja?' Een ongelovige glimlach.

'Ja. Ze maken er alleen, weet ik het, een puinhoop van, en dan een nog grotere puinhoop om de eerste puinhoop op te ruimen, en na een poosje is dat dan je leven.'

Ze snotterde en grinnikte tegelijkertijd. 'En zo zit dat dus?'

'Soms wel, ja.' Hij keek naar het donkerrode koord om haar nek.

Ze zag het. 'Waarom heb je me er nooit naar gevraagd?'

'Dat heb ik je al verteld – het leek me niet beleefd.'

Ze glimlachte op haar eigen onweerstaanbare wijze. 'Beleefd? Wie heeft er nog zulke goede manieren tegenwoordig?'

'Niemand,' gaf hij toe. Het voelde als een wat droevige bekentenis, alsof te veel dingen die er in feite toe zouden moeten doen in het leven hun plaats hadden verspeeld. Op een dag zou je wakker worden en dan was het allemaal weg, net als cassettebandjes of kranten. 'Was het Eric Deeds?'

Ze schudde haar hoofd. Toen knikte ze. Toen schudde ze weer. 'In een van zijn, weet ik het, "manische buien", zeggen de psychiaters, heeft hij me iets aangedaan. Ik kon het niet goed verwerken. In die tijd kreeg ik nog een hoop andere shit op mijn dak ook, het kwam niet alleen door hem...'

'Jawel.'

'... maar hij was wel absoluut de druppel.'

'Heb je jezelf de hals doorgesneden?'

Ze knikte een aantal keren snel achter elkaar. 'Ik was behoorlijk high.'

Bob vroeg: 'Dus je hebt dat jezelf aangedaan?'

Nadia zei: 'Met een stanleymes. Je weet wel...'

'Mijn god. Ja, nee, ik ken die dingen.' Bob herhaalde: 'Je hebt dat jezelf aangedaan?'

Nadia staarde hem aan. 'Ik was mezelf niet. Ik hield niet van mezelf, maar dan ook echt niet, snap je?'

Bob vroeg: 'Hou je nu wel van jezelf?'

Nadia trok haar schouders op.

Bob zei niets. Als hij nu iets zou zeggen, wist hij, zou hij iets kapotmaken wat een kans verdiende.

Na een tijdje keek Nadia op naar Bob. Haar ogen glansden, en ze haalde opnieuw haar schouders op.

Ze liepen een stukje verder.

'Heb je hem ooit met Rochus gezien?'

'Hè?'

'Nou? Jullie woonden bij elkaar in de straat, toch?'

'Nee, niet dat ik weet.'

'Niet dat je weet?'

Ze deed een stap terug. 'En wie ben jij nu, Bob? Want je bent niet jezelf.'

'Jawel,' verzekerde hij haar. Hij nam een mildere toon aan. 'Heb je Eric Deeds ooit met Rochus gezien?'

Weer een serie korte knikjes, als een drinkend musje.

'Dus je wist dat het zijn hond was.'

Haar knikjes bleven maar komen, kort en snel.

'Die hij in de vuilcontainer heeft gegooid.' Bob zuchtte. 'Goed.'

Ze liepen over een kleine houten brug boven een stuk rivier dat nog bevroren was. Het ijs was al lichtblauw en dun, maar lag nog vast.

'Dus hij zegt dat hij alleen maar tienduizend wil?' vroeg ze na een poosje.

Bob knikte.

'Maar als jullie die tienduizend verliezen?'

'Iemand zal ervoor moeten boeten.'

'Jij?'

'En Marv. Wij allebei. We zijn al een keer beroofd.'

'Gaan ze je vermoorden?'

'Dat hangt ervan af. Ze zullen bij elkaar komen, de Tsjetsjenen, de Italianen, de Ieren. Vijf of zes vetzakken met een bekertje koffie op een of ander parkeerterrein, en dan besluiten ze iets. Over de tienduizend boven op de vijf die we verloren hebben bij de overval, weet je nog? Ziet er niet goed uit.' Hij keek omhoog naar de kale hemel. 'Ik bedoel, ik zou die tien wel op eigen kracht bij elkaar kunnen krijgen. Ik heb gespaard.'

'Waarvoor? Waarvoor spaart Bob Saginowski?'

Bob zei niets. Ze liet het lopen.

'Maar als jijzelf die tien bij elkaar kunt krijgen…' zei ze.

'Dan zou het niet genoeg zijn.'

'Maar dat is het bedrag dat hij vraagt.'

'Tuurlijk,' zei Bob, 'maar dat is niet het bedrag dat hij wil. Een man die honger heeft vindt een zak chips, oké? En dat is de enige zak voor ik weet niet hoelang, voor altijd misschien. Als hij om de paar uur drie of vier van die chips neemt, kan hij vijf dagen met die zak toe. Maar denk je dat hij dat doet?'

'Hij eet de hele zak in één keer leeg.'

Bob knikte.

'Wat ben je van plan?'

Rochus deed weer een poging om een poot op het ijs te zetten, maar Bob trok hem terug. Hij boog zich voorover en gaf de hond een tik op zijn neus met zijn wijsvinger. 'Nee. Begrepen? Nee.' Hij keek Nadia aan. 'Ik heb geen idee.'

13

Denk aan mij

Op Causeway Street was de ijshockeywedstrijd net afgelopen en het publiek kwam in de stromende regen naar buiten. Neef Marv kreeg een teken dat hij zijn auto langs de stoeprand moest zetten terwijl de verkeersagenten iedereen maanden om door te lopen. De trekkende en duwende menigte deed het chassis van zijn Honda wiegen, de taxi's claxonneerden en de regen spoelde als vissoep over zijn voorruit. Marv wilde net wegrijden om een keer rond het stadion te rijden, wat hem in dit verkeer verdomme zeker een halfuur ging kosten, toen Fitz opdook uit de massa, op een meter van het portier bleef staan en Marv aanstaarde met een bleek, ingevallen gezicht onder een donkere capuchon.

Marv rolde het raampje van zijn oude, vaalgele Honda naar beneden. 'Stap in.'

Fitz bleef staan waar hij stond.

'Wat is er?' vroeg Marv. 'Dacht je dat ik mijn kofferbak al had bekleed met plastic?' Hij ontgrendelde de kofferbak. 'Kijk zelf maar.'

Fitz wierp een blik die kant op, maar kwam niet van zijn plek. 'Ik ga niet bij jou in de auto zitten.'

'Echt niet? We moeten praten.'

'Ze hebben mijn broer te pakken,' riep Fitz door de regen.

Marv knikte begripvol. 'Ik vraag me af of de smeris op het kruispunt dat niet ook hoorde. Of die daar vlak achter je, Fitzy.'

Fitz keek achter zich naar de jonge agent een eindje verderop, die bezig was de massa in goede banen te leiden. Hij was zich van niets bewust, maar dat kon veranderen.

Marv zei: 'Dit is achterlijk. Ongeveer tweeduizend mensen, inclusief een paar smerissen, hebben ons zien praten bij deze auto. Man, het is stervenskoud. Stap in.'

Fitz deed een stap naar de auto, en bleef staan. Hij riep: 'Hé, agent! Agent!'

De jonge agent draaide zich om en keek hem aan.

Fitz wees met een vinger naar zijn eigen borst en toen naar de Honda. 'U hebt mij zien instappen. Denk aan mij, oké?'

De agent maakte een gebaar. 'Wilt u doorrijden.'

Fitz stak een duim naar hem op. 'Ik heet Fitz.'

De agent riep: 'Doorrijden!'

Fitz trok het portier open, maar Marv hield hem tegen. 'Doe de kofferbak even dicht, als je wil.'

Fitz holde terug door de regen en deed de kofferbak dicht. Hij stapte in. Neef Marv draaide het raampje omhoog en ze reden weg.

Meteen tilde Fitz zijn jack op en gunde Marv een blik op het korte .38 pistool achter de band van zijn broek. 'Je gaat me niks flikken. Heb godverdomme het lef eens. Begrepen? Heb je dat begrepen?'

Neef Marv zei: 'Heeft je moeder je dat ding meegegeven in je lunchtrommel of zo? Jezus, een wapen bij je dragen alsof je goddomme in redneckland bent en bang dat de latino's je baan komen afpakken en de zwarten je vrouw? Zit het zo?'

Fitz zei: 'De laatste keer dat iemand mijn broer in leven zag, stapte hij bij een vent in de auto.'

Neef Marv zei: 'Je broer had vast ook een wapen bij zich.'

'Val dood, Marv.'

'Moet je horen, Fitz, het spijt me, echt. Maar je kent me, ik ben geen schutter. Ik ben gewoon een schijterige cafébaas. Ik wou dit hele klotejaar gewoon wel overdoen.' Marv keek uit het zijraam terwijl ze in de trage file richting Storrow Drive reden. Hij keek nog eens naar het pistool. 'Wordt je pik er groter van als je dat ding in gangsterstijl mijn kant op laat wijzen?'

Fitz zei: 'Je bent een zak, Marv.'

Marv grinnikte. 'Vertel me iets nieuws.'

Eenmaal in westelijke richting onderweg op Storrow Drive werd de verkeersdrukte wat minder.

'Ze zullen ons afmaken,' zei Fitz. 'Is dat al tot je doorgedrongen?'

Neef Marv zei: 'Dit is nu een gevalletje risico-versus-beloning, Fitzy. Het risico hebben we al genomen, en je hebt gelijk: zo heel goed ziet het er niet uit.'

Fitz stak een sigaret op. 'Maar?'

'Maar ik weet waar morgen het loket op Super Bowl is. De moeder aller loketten. Wou je ze terugpakken voor je broer? Moet je ze een miljoen lichter maken.'

Fitz zei: 'Dat is zelfmoord.'

Neef Marv zei: 'Zoals het er nu voor staat, wachten we allebei toch alleen maar tot we eraan gaan. Ik ga er liever vandoor met een zak vol geld dan blut.'

Fitz dacht hier even over na; zijn rechterknie tikte zenuwachtig tegen de onderkant van het dashboardkastje. 'Ik doe het niet nog een keer, echt niet, man.'

Neef Marv zei: 'Zelf weten. Ik ga je niet lopen smeken een dagloon met zes nullen te helpen verdelen.'

'Ik heb niet eens mijn deel gehad van de rottige vijfduizend die we de eerste keer pakten.'

Neef Marv zei: 'Maar jij had het.'

Fitz zei: 'Bri had het.'

Het verkeer was flink afgenomen tegen de tijd dat ze langs Harvard Stadium reden, het oudste footballstadion van het land, en het zoveelste gebouw dat een lange neus leek te maken naar Marv, nog een plek waar hem lachend de deur zou zijn gewezen als hij ooit geprobeerd zou hebben er binnen te gaan. Dat was iets van deze stad, die hield je bij elke bocht zijn geschiedenis voor, opdat je je kleiner zou voelen in zijn schaduw.

Neef Marv draaide westelijk mee met de rivier, en hier was de weg verlaten. 'Oké, ik zal het met je delen.'

Fitz zei: 'Wat?'

'Ik meen het. Maar ik krijg er wel iets voor terug – in de eerste plaats: je houdt je kop over wat ik je heb verteld. En ten tweede: heb jij een plek waar ik een paar dagen kan onderduiken?'

Fitz vroeg: 'Sta je op straat dan?'

Ze hoorden een metalig geklapper. Marv keek in zijn spiegel en zag de klep van de kofferbak op en neer zweven in de regen.

'Klotekofferbak. Je hebt hem niet dichtgedaan.'

Fitz zei: 'Ik heb hem wel dichtgedaan.'

'Niet goed.'

De klep bleef op- en neergaan.

Neef Marv zei: 'En nee, ik sta niet op straat, maar iedereen weet waar ik woon. Van jou daarentegen weet zelfs ik niet waar je woont.'

De klep zwaaide omlaag tegen de auto aan en kaatste weer omhoog.

Fitz zei: 'Ik heb dat ding dichtgedaan.'

'Dat zeg jij.'

'Wat kan het ook schelen, stop maar. Ik doe hem wel dicht.'

Marv reed een parkeerplaats op bij de rivier die een ontmoetingsplek zou zijn voor flikkers die in het dagelijks leven keurig getrouwd waren. De enige auto op de hele parkeerplaats was een Amerikaanse rammelbak die aandeed alsof hij er al een week stond, met oude sneeuw op de neus die een bij voorbaat verloren strijd streed tegen de regen. Het was zaterdag, herinnerde Marv zich, wat betekende dat de flikkers waarschijnlijk bij hun vrouw en kinderen thuiszaten en deden alsof pik en porno in hun leven geen rol speelden. Het was er uitgestorven.

Marv zei tegen Fitz: 'Kan ik bij je pitten of niet? Alleen vanavond en, oké, misschien morgen?'

Hij zette de auto stil.

Fitz zei: 'Niet bij mij, maar ik weet wel een plek.'

'Is er kabel?' vroeg neef Marv.

Terwijl hij uitstapte zei Fitz: 'Wat nou, idioot?'

Hij holde naar de achterkant van de auto en sloeg de klep met één hand dicht. Weer bij het portier schoot zijn hoofd met een ruk omhoog toen hij de kofferbak opnieuw hoorde opengaan.

Marv zag zijn gezicht verkrampen van woede. Hij holde opnieuw naar achteren, greep de rand van de klep nu met beide handen vast en ramde het ding zo hard dicht dat de hele auto, compleet met Marv, begon te wiegen.

Toen doofden de remlichten, die zijn gezicht met rood hadden overspoeld. Hij wisselde een korte blik met Marv in de achteruitkijkspiegel, en in die laatste seconde doorzag hij het spel. De haat die in zijn ogen kwam leek minder gericht op Marv dan op zijn eigen domme zelf.

De Honda schudde op alle vier de banden toen Marv het ding in de achteruit gooide en over Fitz heen reed. Hij hoorde een kreet, één maar, en zelfs die ene kreet klonk gesmoord, en hij vond het niet moeilijk zich in te beelden dat het schrapende geluid onder zijn auto een zak aardappelen was, of een echt walgelijk grote kerstkalkoen.

'Kut, man,' hoorde Marv zijn eigen stem in de regen. 'Kut, kut, kut.'

En toen reed hij met een vaart vooruit over Fitz. Remde. Schakelde in z'n achteruit. En ging nog een keer.

Na nog een paar keer liet hij het lichaam achter en reed naar de plek waar zijn eigen auto stond. Hij hoefde de Honda niet schoon te vegen – het mooie van de winter was dat iedereen handschoenen droeg. Zelfs als je ze aanhield naar bed zou geen hond er wat van denken en alleen maar vragen waar ze ook zo'n paar konden kopen.

Toen hij uitstapte liet hij zijn blik over de parkeerplaats gaan naar waar Fitz' lichaam lag. Je kon het nauwelijks zien van hier. Van een afstand had het een stapel natte bladeren kunnen zijn, of een hoop oude sneeuw die langzaam smolt onder de gestage regen. Man, van hier gezien kon wat hij dacht dat Fitz' lijk was gewoon een speling van licht en donker zijn.

Ik ben, realiseerde Marv zich op dat moment, nu even gevaarlijk als de gevaarlijkste man op aarde. Ik heb iemand het leven ontnomen.

Het was geen onprettige gedachte.

Marv stapte in en reed weg. Voor de tweede keer die week schoot door hem heen dat hij nieuwe ruitenwissers nodig had.

Bob liep de keldertrap af met Rochus op de arm. De grote ruimte was leeg en kraakhelder, met een gewitte stenen vloer en stenen wanden. Aan de muur tegenover de trap stond een zwarte stookolietank. Bob liep erlangs zoals hij altijd deed – snel en met zijn ogen op de vloer gericht – en droeg Rochus naar de hoek waar zijn vader vele jaren geleden een spoelbak had bevestigd. Naast de spoelbak waren een paar planken met oud gereedschap, hoge schoenen en verfblikken. Boven de spoelbak was een kastje. Bob zette Rochus in de spoelbak.

Hij opende het kastje. Het stond vol met spuitbussen verf, potten met schroeven en spijkers en een paar blikken verfafbijtmiddel. Hij pakte een koffiebus en zette die naast de spoelbak. Met Rochus als toeschouwer haalde hij er een ziplockzakje met moertjes uit. Vervolgens trok hij er een rol honderddollarbiljetten uit. Er zaten nog meer van die rollen in. Nog vijf. Bob had altijd gedacht dat op een dag, als hij dood was, bij het leegruimen van zijn huis iemand op deze bus zou stuiten en het geld in zijn zak zou stoppen met het vaste voornemen er nooit iets over te zeggen. Maar zoiets lukte natuurlijk nooit; het zou uitlekken en een sterk verhaal worden over de vent die een koffiebus met vijftigduizend dollar vond in de kelder van een eenzame oude man. Die gedachte had Bob op de een of andere manier altijd vrolijk gemaakt. Hij stopte de rol in zijn zak, deed het ziplockzakje met moertjes weer bovenop en sloot de koffiebus. Hij zette hem terug in het kastje en deed het kastje dicht en op slot.

Bob telde het geld met een snelheid die alleen kasteleins en croupiers bezaten. Helemaal compleet. Tienduizend. Hij zwaaide het pak geld heen en weer voor Rochus' neus, waaierde er zijn gezicht mee.

Bob zei: 'Ben je het waard?'

De puppy keek met een scheve kop naar hem op.

'Ik weet het niet,' zei Bob. 'Het is wel een hoop geld.'

Rochus legde zijn voorpoten op de rand van de spoelbak en knabbelde aan Bobs pols met zijn scherpe, puntige puppytanden.

Bob schepte hem op met zijn vrije hand en duwde hun gezichten tegen elkaar. 'Ik maak maar een grapje, flauwekul. Je bent het waard.'

Hij en Rochus liepen het achtervertrek uit. Deze keer stopte hij bij de zwarte stookolietank. Hij ging ervoor staan met zijn hoofd naar beneden, en toen keek hij op. Voor het eerst in jaren keek hij het ding recht in zijn gezicht. De ooit aangekoppelde leidingen – één om olie in te laten via de buitenmuur en één om warmte naar het huis te transporteren – waren sinds lang verwijderd, waarna de gaten waren afgedicht.

In de tank zat geen olie, maar loog, steenzout en, ondertussen, botten. Niets dan botten.

In zijn zwartste tijden, toen hij bijna zijn geloof en hoop was kwijtgeraakt, toen hij overdag had gedanst met Vertwijfeling en haar 's nachts tussen de lakens had bevochten, had hij gevoeld hoe zich stukjes van zijn geest hadden losgemaakt, als hitteschilden van een ruimteschip dat een asteroïde had geschampt. Hij stelde zich voor dat die stukjes van hem de ruimte in zweefden, om nooit meer terug te komen.

Maar ze kwamen wel terug. En het grootste deel van de rest van hemzelf kwam ook terug.

Hij ging met Rochus de trap op en keek nog een laatste keer om naar de stookolietank.

Vergeef mij, Vader...

Hij deed het licht uit. Hij hoorde zijn adem en die van de hond in het donker.

... want ik heb gezondigd.

14

Mijn andere ik

Super Bowl Sunday.

Op de ene zondag van de American footballfinale wordt meer geld vergokt dan de hele rest van het jaar wordt ingezet op de Kentucky Derby, alle grote bastketbalfinales, de ijshockeyfinales en de honkbalfinales bij elkaar. Als papiergeld nog niet was uitgevonden, zouden ze het bedacht hebben om het gewicht en het volume van het wedgeld op die ene dag te kunnen verwerken. Kleine oude dametjes die het verschil niet zagen tussen een bal en hun handtasje hadden een voorgevoel over de Seattle Seahawks; Guatemalteekse illegalen die met schoonmaakemmers rondliepen op bouwplaatsen zagen in quarterback Manning zowat de belichaming van de wederkomst van Jezus onze Verlosser. Iedereen gokte en iedereen keek.

Terwijl hij wachtte tot Eric Deeds langs zou komen, gunde Bob zich een tweede kop koffie, omdat hij wist dat hij de langste dag van zijn werkjaar voor de boeg had. Rochus lag aan zijn voeten op een touwspeeltje te kauwen. Bob had zijn tienduizend dollar midden op de tafel gelegd. Hij had nagedacht over hoe de stoelen moesten staan. Hij zette zijn stoel vlak bij de la in het aanrecht, waarin het pistool van zijn vader lag, voor de zekerheid. Alleen voor de zekerheid. Hij trok de la open, keek erin. Hij deed de la voor de twintigste keer open en dicht, om er zeker van te zijn dat die soepel liep. Hij ging zitten en deed een poging de *Globe* te lezen en vervolgens de *Herald*. Hij legde zijn handen op het tafelblad.

Eric kwam niet opdagen.

Bob wist niet wat hij ervan denken moest, maar het lag hem

zwaar op de maag, alsof er daarbinnen een kreeft heen en weer krabbelde die angstig een veilig heenkomen zocht.

Bob wachtte nog een poosje en toen dat voorbij was nog wat langer, maar ten slotte was het te laat om nog langer te blijven wachten.

Hij liet het pistool waar het lag. Hij deed het geld in een plastic tasje van de supermarkt, stopte het in zijn jaszak en ging de riem pakken.

Hij had de bench ingeklapt op de achterbank van zijn auto gezet, plus een deken, wat kauwspeeltjes, een kom en hondenvoer. Hij zette Rochus op de handdoek die hij over de zitting van de passagiersstoel voorin had gelegd en ze reden samen hun dag tegemoet.

Bij het huis van neef Marv controleerde Bob of de auto goed afgesloten was en het alarm aanstond, waarna hij Rochus snurkend op de voorbank achterliet en bij Marv aanklopte.

Dottie was net bezig zich in haar jas te hijsen toen ze opendeed. Ze stonden samen in de hal, Bob stampte het zout van zijn schoenen.

'Waar ga je heen?' vroeg hij.

'Kantoor. Je krijgt anderhalf keer het uurloon in het weekend, Bobby.'

'Ik dacht dat je met vervroegd pensioen was.'

Dottie zei: 'Waarom zou ik? Ik werk nog een jaar of twee door als mijn spataderen het toelaten, en dan zie ik wel weer. Zorg dat mijn kleine broer wat eet. Ik heb een bord voor hem in de ijskast gezet.'

Bob zei: 'Oké.'

Dottie zei: 'Hij moet het alleen even anderhalve minuut in de magnetron zetten. Fijne dag.'

Bob zei: 'Jij ook, Dottie.'

Dottie schreeuwde zo hard ze kon naar binnen: 'Ik ben naar mijn werk!'

Neef Marv zei: 'Een goeie dag, Dot.'

Dottie riep: 'Jij ook! En eet iets!'

Dottie en Bob gaven elkaar een zoen op de wang, en weg was ze.

Bob liep de gang door naar de voorkamer, waar neef Marv in een relaxfauteuil voor de tv hing en naar een voorbeschouwing keek

waarin twee voormalige footballgrootheden in designerpak pop-
petjes verschoven op een instructiebord.

Bob zei: 'Dottie zegt dat je wat moet eten.'

Neef Marv zei: 'Dottie zegt wel meer. En niet zo zachtjes ook.'

Bob zei: 'Dat is misschien wel nodig ook, om tot jou door te drin-
gen.'

Neef Marv vroeg: 'En wat bedoel je daar precies mee? Want ik ben
niet zo slim.'

Bob zei: 'Vandaag is de drukste dag van het jaar, en ik krijg je niet
eens aan de telefoon.'

Neef Marv zei: 'Ik ga niet. Bel maar een uitzendbureau.'

'"Bel maar een uitzendbureau,"' herhaalde Bob. 'Jezus. Man, dat
heb ik allang gedaan. Het is Super Bowl.'

Neef Marv zei: 'Waar heb je mij dan nog voor nodig?'

Bob liet zich in de andere relaxfauteuil zakken. Als jongen had
hij dit een fijne kamer gevonden, maar toen de jaren verstreken en
alles exact bij het oude bleef, behalve om de vijf jaar een nieuwe tv,
was het vertrek hem gaandeweg ongelukkiger gaan stemmen. Als
een kalender waarvan niemand nog de moeite nam om de bladen
om te slaan.

Bob zei: 'Ik kan het best zonder jou. Maar wou je de dikste fooien-
pot van het jaar mislopen?'

'O, dus nu werk ik voor fooien?' Neef Marv staarde naar het
scherm, in zijn belachelijke rood-wit-blauwe Patriots-trui en bij-
passende trainingsbroek. 'Is je de naam op de bar weleens opgevallen? Dat is mijn naam. Weet je waarom? Omdat ik ooit de eigenaar
was.'

Bob zei: 'Jij koestert dat verlies alsof het je ene gezonde long was.'

Neef Marv draaide zich met een ruk om, keek hem dreigend aan
en zei: 'Jij bent goddomme wel heel erg brutaal geworden sinds je
die hond hebt opgepikt en ermee omgaat alsof het je kind was.'

Bob zei: 'Je kunt het niet ongedaan maken. Zij zetten er druk op,
jij liep ervoor weg en het is gebeurd. Voorbij.'

Neef Marv reikte naar de hendel opzij van de stoel. 'Ik heb tenminste niet mijn hele leven vergooid met wachten tot het zou beginnen.'

Bob vroeg: 'O, dus dat is wat ik heb gedaan?'

Neef Marv trok aan de hendel en liet zijn voeten op de vloer zakken. 'Ja. Dus zak maar in de stront met die kinderlanddromen van je. Ooit werd ik gevreesd. Denk aan de barkruk waar jij dat ouwe mens laat zitten. Dat was mijn barkruk. En niemand ging daar zitten, want dat was de plek van neef Marv. Dat betekende iets.'

'Nee, Marv,' zei Bob, 'het was gewoon een kruk.'

Neef Marv richtte zijn ogen weer op het scherm.

Bob boog zich naar hem toe en zei heel zacht maar heel duidelijk: 'Ben je weer eens met iets wanhopigs bezig? Marv, luister naar me. Serieus. Ben je met iets bezig wat we deze keer niet meer recht kunnen breien?'

Neef Marv liet zich in zijn stoel achteroverzakken tot de voetensteun weer onder zijn benen schoof. Hij weigerde Bob aan te kijken. Hij stak een sigaret op. 'Sodemieter op. Ik meen het.'

Achter in de bar klapte Bob de bench uit, legde er de deken in en gooide de kauwspeeltjes naar binnen, maar eerst liet hij Rochus nog wat rondrennen. Het ergste wat er kon gebeuren was dat de puppy ergens poepte, en daarvoor had je water en zeep.

Hij ging achter de tap. Hij pakte de zak met de tienduizend dollar uit zijn jas en legde die op de plank naast het halfautomatische .9 pistool dat neef Marv verstandig genoeg niet had gebruikt tijdens de overval. Hij duwde het geld en het wapen met behulp van een in folie verpakte rol bierviltjes naar achter op de plank. Hij zette nog een tweede rol voor de eerste.

Rochus rende in het rond, snuffelde overal aan en had de tijd van zijn leven, en zonder Marv, die uitgerekend vandaag hier had moeten zijn, voelde voor Bob elke centimeter van de wereld als drijfzand. Nergens houvast. Er was geen plek waar hij onbezorgd zijn voeten kon plaatsen.

Hoe had het zover kunnen komen?

Je hebt de wereld binnengelaten, Bobby, zei een stem die akelig veel op die van zijn moeder leek. Je hebt de van zonde druipende wereld binnengelaten. En onder zijn mantel is niets dan duisternis.

Maar, ma?

Ja, Bobby.

Het werd tijd. Ik kan niet alleen voor het hiernamaals leven. Ik moet nu leven.

Dat zeggen zij die gevallen zijn, al sinds het begin der tijden.

Ze brachten een broodmagere Tim Brennan binnen in de bezoekruimte van Concord Prison. Ze gaven hem een stoel tegenover Torres.

Torres zei: 'Meneer Brennan, fijn dat u mij te woord wilt staan.'

Tim Brennan zei: 'De wedstrijd begint zo. Ik wil mijn plek niet verspelen.'

Torres zei: 'Geen probleem. Ik ben zo weer vertrokken. Wat kunt u mij vertellen over Richie Whelan? Het doet er niet toe wat.'

Brennan schoot in een hevige hoestbui. Hij maakte een geluid alsof hij verdronk in slijm en scheermessen. Nadat hij die ten slotte bedwongen had, omklemde hij nog een volle minuut zijn piepende borst. Toen hij Torres uiteindelijk over de tafel aankeek, was het met de blik van een man die al een glimp van gene zijde had opgevangen.

Tim Brennan zei: 'Tegen mijn kinderen zeg ik dat ik een maaginfectie heb. Ik en mijn vrouw weten niet hoe we ze moeten vertellen dat ik aids heb opgelopen hierbinnen. Daarom houden we ons maar aan dat verhaal, tot ze de waarheid aankunnen. Welke wou je?'

'Sorry?' zei Torres.

'Wou je het verhaal over de nacht dat Richie Whelan stierf? Of wou je de waarheid?'

Torres voelde de kriebel op zijn kruin die hij altijd voelde als een zaak op het punt stond open te breken, maar hij hield zijn gezicht in de plooi, zijn ogen vriendelijk en uitnodigend. 'Welke van de twee je maar kwijt wilt vandaag, Tim.'

Eric Deeds liet zichzelf in Nadia's huis binnen met een creditcard en een kleine schroevendraaier, van het soort waar je de pootjes van je bril mee aandraait. Hij had veertien pogingen nodig gehad, maar er was niemand op straat, dus niemand die hem bezig zag op de galerij. Iedereen had zijn boodschappen al in huis – bier, chips, artisjokdipsaus, uiendipsaus en salsa, drumsticks, spareribs en pop-corn – en zat nu klaar in afwachting van de aftrap, die pas over drie uur zou zijn, maar wat kon de tijd schelen als je meteen na de mid-dag al begonnen was met indrinken?

Eenmaal binnen bleef hij even staan luisteren terwijl hij de schroevendraaier en zijn creditcard, die wel behoorlijk te lijden had gehad van de actie, in zijn zak stopte. Maar ach, die rekening hadden ze toch al maanden geleden geblokkeerd.

Eric liep de gang door en deed de deur naar de woonkamer, de eetkamer, de badkamer en de keuken open.

Toen ging hij de trap op naar Nadia's slaapkamer.

Hij liep recht op de kast af. Hij ging door haar kleren heen. Snuffelde af en toe aan een kledingstuk. En ze roken naar haar: een flauwe mengeling van sinaasappel, kers en chocola. Zo rook Nadia.

Eric ging op het bed zitten.

Eric ging voor haar spiegel staan en kamde zijn haar met zijn vingers.

Eric sloeg de dekens op haar bed terug. Hij deed zijn schoenen uit. Hij kroop in foetushouding op het bed, trok de dekens over zich heen. Hij sloot zijn ogen. Hij glimlachte. Hij voelde hoe zijn glimlach zijn bloed te pakken kreeg en meeliftte door zijn hele lichaam. Hij voelde zich veilig. Alsof hij terug de baarmoeder in was gekropen. Alsof hij weer water kon ademen.

Nadat zijn kloot van een neef was vertrokken, ging Marv aan de slag aan de keukentafel. Hij spreidde er verschillende vuilniszakken op uit en plakte die zorgvuldig aan elkaar met isolatietape. Hij nam een biertje uit de ijskast en dronk er de helft van terwijl hij naar de zakken op tafel staarde. Alsof er nog een weg terug was.

Er was geen weg terug. Die was er nooit geweest ook.

En op een bepaalde manier was het ook waardeloos, want terwijl hij daar zo stond, in zijn zielige keukentje, besefte Marv hoe hij het zou missen. Hoe hij zijn zus zou missen, dit huis, en zelfs de bar en zijn neef Bob.

Maar er was geen redden meer aan. Het leven bestond tenslotte uit spijt. En sommige spijt – die waaraan je je overgaf op een strand in Thailand, bijvoorbeeld, boven die waaraan je je overgaf op een begraafplaats net buiten Boston – was gemakkelijker te slikken dan andere.

Op Thailand. Hij hief zijn biertje naar de lege keuken en sloeg het achterover.

Eric ging op de bank in Nadia's woonkamer zitten. Hij dronk een cola die hij in haar ijskast had gevonden – nou ja, hun ijskast eigenlijk, binnenkort zou het echt hun ijskast zijn – en staarde naar het verbleekte behang, dat waarschijnlijk nog stamde uit de tijd voor Nadia geboren was. Dat zou het eerste zijn wat eruit ging, dat oude behang uit de jaren zeventig. De jaren zeventig waren voorbij, het was niet eens meer de twintigste eeuw. Er was een nieuwe tijd aangebroken.

Toen hij zijn cola ophad, liep hij met het blikje naar de keuken, waar hij een sandwich maakte met het boterhamvlees dat hij in de ijskast vond.

Hij hoorde een geluid, keek op naar de deur, en daar stond ze. Nadia. Ze keek naar hem. Verwonderd, natuurlijk, maar niet bang. Ze had iets vriendelijks in haar blik. Een warm soort gratie.

Eric zei: 'O, hallo. Hoe is het? Tijdje geleden al. Kom binnen, ga zitten.'

Ze bleef staan waar ze stond.

Eric zei: 'Ja, nee, ga zitten. Zitten. Ik wil je wat dingen vertellen. Ik heb een paar plannen. Ja. Plannen. Oké? Daarbuiten staat een heel nieuw leven klaar voor de, voor de, voor wie lef heeft.'

Eric schudde zijn hoofd. Slechte tekst. Hij keek naar de vloer, en weer op naar de deuropening. Die was leeg. Hij bleef staren tot ze weer verscheen, en nu droeg ze niet langer een spijkerbroek en een vaal geruit overhemd. Ze droeg een donkere jurk met kleine stippels, en haar huid... haar huid straalde.

'O, hallo,' zei Eric blij. 'Hoe is het, kleintje? Kom erin. Pak een...'

Hij verstomde bij het geluid van een sleutel in het slot in de voordeur. De deur ging open. En dicht. Hij hoorde het geluid van een tas die aan een haak gehangen werd. Sleutels die op een tafel neerkwamen. Het gebons van schoenen die uit werden geschopt.

Hij ging zo zitten dat hij op zijn gemak zou lijken, nonchalant, alsof er niks aan de hand was. Hij klopte behoedzaam de broodkruimels van zijn handen en duwde zijn haar in model.

Nadia kwam binnen. De echte Nadia. Capuchon, T-shirt, werkbroek in camouflagekleuren. Eric had liever een wat minder potteuze uitdossing gezien, maar daar zou hij haar nog weleens op aanspreken.

Ze zag hem en opende haar mond.

'Niet schreeuwen,' zei hij.

Vier uur voor het begin van de wedstrijd kwam de loop er aardig in. Wat een prima timing was, want tegen die tijd verschenen ook de uitzendkrachten. Ze waren al bezig hun schort aan te trekken en glazen te stapelen, toen Bob hun voorman zag, een roodharige vent met zo'n tijdloos vollemaansgezicht. Hij zei tegen Bob: 'Je hebt ze onder contract tot twaalf uur vannacht. Voor alles wat je eroverheen gaat krijg je een aanvullende factuur. Ik heb twee sjouwers voor je geregeld. Die doen al je tilwerk, afval wegbrengen en ijs halen. En voor het geval je dat ook van je barpersoneel wou vragen, niet doen dus, want die slaan je met de vakbondsregels om de oren alsof het de profetieën waren.'

Hij overhandigde Bob het klembord en Bob tekende voor akkoord.

Tegen de tijd dat hij de bar weer binnenliep, kwam de eerste geldloper door de deur. Hij liet een krant op de bar vallen waaruit de punt van een bruine envelop stak. Bob veegde hem van de bar en liet de envelop in de stortkoker glijden. Toen hij zich omdraaide, was de geldloper weg. Hard werken en vooral geen lolletjes tussendoor. Zo'n avond was het.

Neef Marv trok de voordeur achter zich dicht en liep naar zijn auto. Hij deed de kofferbak open. Hij pakte de aan elkaar getapete vuilniszakken en spreidde ze uit in de lege kofferbak. Hij gebruikte opnieuw tape om alle uiteinden naadloos tegen de zijkanten te plakken.

Hij liep het huis weer in en pakte de deken uit de bijkeuken. Hij spreidde de deken uit over het plastic. Hij keek een ogenblik naar zijn huisvlijt. Toen deed hij de klep dicht, zette de koffer achter de stoel van de bestuurder en sloot het portier.

Hij ging weer naar binnen om de vliegtickets te printen.

Toen Torres deze keer naast Romseys burgerwagen stilhield in Pen' Park, was ze alleen, zodat hij zich afvroeg of ze vroeger tijden konden doen herleven op de achterbank, doen alsof ze in de drive-in-bioscoop waren die hier vroeger was, doen alsof ze gewoon stomme tieners waren en nog een heel leven, twee hele levens, voor zich hadden, vooralsnog rimpelloos en onaangetast door de littekens van slechte beslissingen en de butsen van ingesleten mislukkingen, zowel de grote als de kleine.

Hij en Romsey waren weer eens in de fout gegaan, vorige week. Alcohol had daarbij natuurlijk een rol gespeeld. Na afloop had ze gezegd: 'Is dit het enige wat ik ben?'

'Voor mij? Nee, chica, jij bent...'

'Voor mij,' zei ze. 'Is dit het enige wat ik ben voor mij?'

Hij begreep bij god niet wat ze bedoelde, maar hij wist wel dat het niet goed was, dus had hij zich gedeisd gehouden tot ze hem vanochtend belde en zei dat hij naar Pen' Park moest komen.

Onderweg had hij een verhaal voorbereid, voor het geval ze die blik in haar ogen kreeg nadat ze het gedaan hadden, die hopeloze, van zelfhaat vervulde blik waarmee ze diep in het konijnenhol van haar ziel tuimelde.

'Schat,' zou hij zeggen, 'we zijn elkaars ware ik. Daarom kunnen we elkaar niet opgeven. Wij kijken elkaar aan en we oordelen niet. We veroordelen niet. We aanvaarden gewoon.'

Toen hij het een paar dagen geleden bedacht, alleen, in het café, terwijl hij een bierviltje vol krabbelde, had het beter geklonken. Maar hij wist dat hij het op het moment dat hij in haar ogen keek, zich vol dronk aan haar blik, zou geloven, woord voor woord. En hij zou het weten te verkopen ook.

Toen hij het portier opendeed en instapte, zag hij dat ze mooi gekleed was: donkergroene zijden jurk, zwarte pumps en een zwarte, waarschijnlijk echt wollen jas.

Torres zei: 'God, wat zie jij er lekker uit.'

Romsey keek hem aan met een blik van vermoeide verontwaardiging. Ze voelde tussen de zittingen, haalde een zwarte map tevoorschijn en gooide die op zijn schoot. 'Psychiatrisch rapport over Eric Deeds. Je hebt drie minuten om het te lezen, en zonder vette vingers graag.'

Torres hield zijn handen op, bewoog zijn vingers. Romsey haalde een poederdoos uit haar tasje en bracht wat kleur aan op haar wangen, haar ogen gericht op de achteruitkijkspiegel.

'Ik zou maar beginnen met lezen,' zei ze.

Torres sloeg het dossier open, zag de gestempelde naam – DEEDS, ERIC – en bladerde er snel doorheen.

Romsey pakte een lippenstift, stiftte haar lippen.

Zonder op te kijken van het dossier zei Torres tegen haar: 'Niet doen. Chica, je lippen zijn al roder dan een zonsondergang op Jamaica en voller dan een Birmaanse python. Niet priegelen aan perfectie.'

Ze keek hem aan. Ze leek geroerd. Toen deed ze alsnog de lippenstift op. Torres zuchtte.

Torres zei: 'Dat is net als muurverf op een Ferrari smeren. Met wie ga je uit?'

'Met een man.'

Hij sloeg een bladzijde om. 'Een man? Welke man?'

'Een bijzondere man,' zei ze, en er was iets in haar toon wat hem deed opkijken. Voor het eerst zag hij dat ze er niet alleen lekker uitzag, maar ook gezond. Alsof ze straalde van een innerlijk licht. Een licht dat de auto tot de rand toe vulde, waardoor hij niet begreep dat het hem niet meteen was opgevallen.

'En waar heb je die bijzondere man gevonden?'

Ze wees naar het dossier. 'Lees jij nou maar. De klok loopt.'

Hij las.

'Ik meen het,' zei hij. 'Die bijzondere man van je. Is...'

Zijn stem ebde weg. Hij schoot terug over de pagina naar de lijst van Deeds' veroordelingen en gedwongen opnames. Hij dacht dat hij de datum verkeerd gelezen had. Hij sloeg een pagina om, en nog een.

Hij zei: 'Het zal niet waar zijn.'

Ze wees op het dossier. 'Had je daar wat aan?'

'Weet ik niet,' zei hij. 'Maar één grote vraag is er zeker mee beantwoord.'

'Dat is dan toch goed?'

Hij haalde zijn schouders op. 'Eén vraag beantwoord, ja, maar ik krijg er een bak vol nieuwe voor terug.' Torres sloeg het dossier dicht, zijn bloed zo koud als de Atlantische Oceaan. 'Ik heb een borrel nodig. Jij ook?'

Romsey keek hem ongelovig aan. Ze maakte een gebaar naar haar kleren, haar haar, haar make-up. 'Ik heb andere plannen, Evandro.'

Torres zei: 'Andere keer dan.'

Lisa Romsey antwoordde met een traag en bedroefd hoofdschudden. 'Die bijzondere man waar je naar vroeg, die ken ik al het grootste deel van mijn leven,' zei ze. 'We waren bevriend. Al eeuwen. Hij is jarenlang weggeweest, maar we hebben altijd contact gehouden. Ook zijn huwelijk hield geen stand, en hij is teruggekomen. En op een dag, een paar weken geleden, toen ik koffie met hem zat te drinken, besefte ik dat als hij naar me kijkt, hij mij ziet.'

'Ik zie jou ook.'

Ze schudde haar hoofd. 'Jij ziet alleen het deel van mij dat op jou lijkt. Wat niet mijn beste deel is, Evandro. Het spijt me. Maar mijn vriend – mijn echte vriend – die kijkt naar me en ziet me van mijn beste kant.' Ze smakte met haar lippen. 'En toen, zomaar ineens?' Ze haalde haar schouders op. 'Liefde.'

Hij keek haar een tijdje aan. Daar was het, zomaar ineens: het einde van hen samen. Wat dat 'samen' ook maar inhield. Het was afgelopen. Hij gaf haar het dossier.

Hij stapte uit haar wagen, en ze reed weg voor hij zelfs maar bij zijn auto was.

15

Sluitingstijd

De geldlopers kwamen en gingen. Erin en eruit, de hele avond door. Bob liet zoveel geld in de koker vallen dat hij wist dat het geluid ervan nog nachtenlang zou nagalmen in zijn dromen.

De hele wedstrijd lang stond het drie rijen dik voor de bar, maar toen Bob net na de pauze door een plotselinge opening in de menigte keek, zag hij Eric Deeds aan het wiebelige tafeltje onder de spiegel met de bierreclame zitten. Zijn ene arm lag gestrekt over het tafelblad en toen Bob die lijn volgde, zag hij dat hij contact maakte met een andere arm. Bob moest een stukje opschuiven achter de bar om beter om een groepje dronkaards heen te kunnen kijken, en wilde meteen dat hij dat niet had gedaan. Wilde dat hij niet naar zijn werk was gegaan. Wilde dat hij geen dag sinds kerst was opgestaan. Wilde dat hij de klok van zijn leven kon terugdraaien, resetten tot de dag voordat hij die straat in was gelopen en Rochus had gevonden voor haar huis.

Nadia's huis.

Het was Nadia's arm die Deeds aanraakte, Nadia's gezicht dat onpeilbaar terugkeek naar Eric.

Bob, die ijs in een glas deed, voelde zich alsof hij de ijsblokjes in zijn eigen borst schepte, alsof hij ze in zijn maag en tegen de onderkant van zijn ruggengraat goot. Wat wist hij tenslotte van Nadia? Hij wist dat hij in de vuilnisemmer voor haar huis een zieltogende hond had gevonden. Hij wist dat ze iets van een verleden had met Eric Deeds, en dat Eric Deeds pas in zijn leven was gekomen nadat Bob haar had leren kennen. Hij wist niet beter dan dat ze ook Miss Grote Verzwijging kon heten. Misschien was dat litteken in haar hals niet gemaakt door haar eigen hand, maar door de hand van de laatste vent die ze voor de gek had gehouden.

Op zijn achtentwintigste was Bob zijn moeders slaapkamer binnengelopen om haar te wekken voor de zondagsmis. Hij had wat aan haar geschud, maar ze had niet uitgehaald naar zijn hand, zoals ze anders altijd deed. Dus rolde hij haar naar zich toe, en haar gezicht was verkrampt op slot, haar ogen ook, en haar huid was zo grauw als een stoeptegel. Op zeker moment de avond ervoor, na het journaal van elf uur, was ze naar bed gegaan en wakker geworden van Gods vuist om haar hart. Ze had waarschijnlijk niet genoeg lucht in haar longen overgehad om het uit te schreeuwen. Alleen in het donker had ze zich vastgegrepen aan de lakens terwijl de vuist zich verder sloot, haar gezicht doofde, haar ogen doofden en het verschrikkelijke nieuws tot haar doordrong dat zelfs voor haar, en wel nu, het leven eindig was.

Toen hij die ochtend over haar heen gebogen stond, en zich de laatste klop van haar hart voorstelde, de laatste eenzame wens die haar hersens nog hadden kunnen formuleren, voelde Bob een verlies zoals hij niet dacht ooit nog eens te zullen meemaken.

Tot vanavond. Tot nu. Tot hij wist wat die blik op Nadia's gezicht betekende.

Halverwege de derde spelperiode liep Bob op een groepje mannen af dat tegen zijn tap stond. Een van hen had zijn rug naar hem toegekeerd; er was iets aan zijn achterhoofd dat hem heel bekend voorkwam. En net toen het Bob begon te dagen, draaide Rardy zich om en grijnsde hem breed toe.

Rardy zei: 'Bobby, jongen, hoe is het?'

'Wij, wij,' zei Bob, 'we maakten ons zorgen over je.'

Rardy schonk hem een komische frons. 'Jullie, jullie, jullie, echt? Maar hé, we willen graag zeven bier en zeven tequila.'

Bob zei: 'We dachten dat je dood was.'

Rardy zei: 'Waarom zou ik dood zijn? Ik had gewoon geen zin meer om te werken in een tent die bijna mijn dood was geworden. Zeg maar tegen Marv dat mijn advocaat nog contact opneemt.'

Bob zag dat Eric Deeds zich een weg door de menigte baande naar het andere eind van de bar, en dat vulde Bobs binnenste met iets kils en harteloos. Hij zei tegen Rardy: 'Misschien moest ik je klachten maar aan Chovka melden. Ze doorspelen naar boven. Wat denk je? Goed idee?'

Rardy deed met een bitter lachje een poging tot minachting, maar het leek nergens op. Hij schudde zijn hoofd een paar keer, alsof Bob iets niet begreep, helemaal niets begreep.

'Breng ons nou maar dat bier en de tequila's.'

Bob boog zich zo ver over de bar dat hij de drank in Rardy's adem kon ruiken. 'Jij wou wat drinken? Trek maar een barman aan de mouw die niet weet dat je een hufter bent.'

Rardy was met stomheid geslagen, maar Bob had hem de rug al toegekeerd.

Hij liep achter een paar uitzendkrachten langs, stelde zich op aan het uiteinde van de bar en keek hoe Eric Deeds zijn kant op kwam.

Toen hij voor hem stond, zei Eric: 'Een wodka-ijs, kerel. En een witte wijn voor de dame.'

Bob maakte de bestelling klaar. 'Ik heb je gemist vanochtend.'

'O ja? Nou...'

'Ik begrijp dat je het geld niet wilt.'

Eric zei: 'Heb je het bij je dan?'

'Heb ik wat bij me?'

'Je hebt het bij je. Zo ben jij.'

Bob vroeg: 'Hoe ben ik?'

'Het type dat het geld bij zich zou hebben.'

Bob gaf hem de wodka en een glas chardonnay. 'Wat doet zij hier?'

'Ze is mijn vriendin. Voor eeuwig en altijd en zo.'

Bob schoof het glas wijn naar Eric. Hij leunde over de bar heen. Eric boog zich naar hem toe.

Bob zei: 'Jij geeft me dat stuk papier en je loopt hier met het geld de deur uit.'

'Welk stuk papier?'

'Dat ding over die microchip. Je doet dat ding en de vergunning aan mij over.'

'Waarom zou ik dat doen?'

Bob zei: 'Omdat ik je ervoor betaal. Is dat niet de deal?'

Eric zei: 'Dat is een van de mogelijke deals.'

Erics telefoon ging. Hij keek ernaar en hield een vinger op naar Bob. Hij pakte zijn drankjes en verdween in het gewoel.

Voeg Peyton Manning maar toe aan de lijst van mensen door wie neef Marv genaaid was in zijn leven. De klootzak ging het veld op met zijn gouden arm en zijn gouden contract en speelde geen ene fuck klaar tegen de verdediging van de Seattle Seahawks. Op dit moment in de wedstrijd waren de Denver Bronco's zowel het onderwerp als de aanstichters van een afstraffing: door wat Seattle de spelers uit Denver aandeed en wat de spelers uit Denver iedere gokker in het land aandeden die zijn vertrouwen in hen had gesteld. Marv, een van die gokkers – want wat voor zin had het om nog langer slechte gewoontes af te zweren als je gestoord genoeg was om de Tsjetsjeense maffia een paar miljoen afhandig te maken? – ging vijftigduizend dollar verliezen aan deze kutwedstrijd. Niet dat hij zou blijven rondhangen om die schuld te voldoen, natuurlijk. En als Leo Coogan en zijn Upham Corner Boys daar de pest over in hadden, mochten ze achter aansluiten. Trek maar een nummertje.

Vanaf de vaste telefoon in zijn keuken belde Marv die Deedsgozer om hem te vragen wanneer hij gedacht had naar de bar te komen, en hij schrok zich ellendig en misselijk toen hij hoorde dat hij er al was, al een uur.

'Waar ben je in godesnaam mee bezig?' vroeg hij.

'Waar zou ik anders moeten zijn?' zei Deeds.

'Thuis. Zodat niemand jou goed te zien krijgt tot je, nou ja, tot je de boel berooft.'

'Niemand die mij ooit opmerkt,' zei Eric, 'dus maak je niet dik.'

'Ik kan er gewoon niet bij,' zei Marv.

'Waar niet bij?'

'Dit was zo simpel: jij komt op een afgesproken tijdstip binnenlopen, je doet wat je moet doen, en je vertrekt. Waarom kan niemand zich godverdomme tegenwoordig nog aan een afspraak houden? Die generatie van jou, stoppen jullie allemaal je gat vol met ADD voor je 's ochtends de deur uit gaat?'

Marv ging naar de ijskast voor nog een biertje.

Deeds zei: 'Maak je geen zorgen. Ik zit in z'n kop.'

'In wie z'n kop?'

'Die van Bob.'

'Als jij in die vent zijn kop zat zou je wel gillen, en je gilt niet.'
Marv trok zijn bier open. Hij matigde zijn toon. Liever een relaxte
partner dan een die dacht dat je over de zeik was. 'Moet je horen, ik
weet hoe die man overkomt, maar zonder gekheid, ga hem niets
flikken. Laat hem met rust en zorg dat je niet opvalt.'

'O,' zei Eric, 'en wat had je dan gedacht dat ik de komende paar
uur moest doen?'

'Je zit in een bar. Zuip niet te veel, hou je hoofd koel, en dan zie ik
je om twee uur in de steeg. Dat lijkt me het plan.'

Erics lach klonk onnatuurlijk en tegelijkertijd meisjesachtig
door de hoorn, alsof hij moest lachen om een grap die niemand anders kon horen en niemand anders zou begrijpen als ze hem hoorden.

'Dat lijkt me een plan,' zei hij, en hij hing op.

Marv staarde naar zijn telefoon. De jeugd van tegenwoordig. Het
was alsof deze hele klotegeneratie zich ziek meldde op die ene
schooldag van het jaar dat ze lesgaven over persoonlijke verantwoordelijkheid.

Toen de wedstrijd was afgelopen dunde de menigte behoorlijk uit,
hoewel de achterblijvers luidruchtiger en erger aangeschoten waren en een smerigere bende achterlieten in de toiletten.

Na een poos dropen zelfs zij af. Rardy viel om bij de pooltafel en
terwijl zijn vrienden hem de deur uit sleepten, wierp er eentje de hele tijd verontschuldigende blikken naar Bob.

Bob keek van tijd tot tijd even snel naar Eric en Nadia, die nog
steeds aan hetzelfde tafeltje zaten te kletsen. Telkens wanneer hij
keek, voelde Bob zich kleiner worden. Als hij vaak genoeg zou kijken, zou hij nog in het niets verdwijnen.

Na vier wodka's ging Eric eindelijk naar de wc en kwam Nadia
naar de bar.

Bob boog zich over de tap naar haar toe. 'Ben jij met hem?'

Nadia zei: 'Wat?'

Bob zei: 'Nou? Zeg het me gewoon.'

Nadia: 'Goeie god, wat? Nee. Nee, ik ben niet met hem. Nee, nee, nee. Bob? Toen ik vanmiddag thuiskwam zat hij me in mijn keuken op te wachten, met een pistool in zijn broek, als in een western. Hij zei dat ik met hem mee moest naar jou toe.'

Bob wilde haar geloven. Hij wilde haar zo krampachtig graag geloven dat zijn tanden er nog van zouden breken en uit zijn mond springen, de hele bar door. Toen hij haar uiteindelijk diep in de ogen keek, zag hij iets wat hij nog altijd niet goed kon plaatsen – maar het was beslist geen opwinding of zelfingenomenheid of de bittere glimlach van een overwinnaar. Misschien iets ergers dan al die dingen: wanhoop.

Bob zei: 'Ik kan dit niet alleen.'

'Wat niet?'

Bob zei: 'Het is gewoon te zwaar. Ik heb nu tien jaar uitgezeten van deze... straf – elke rotdag opnieuw – omdat ik dacht dat dat me op de een of andere manier in het reine zou brengen voor als ik aan gene zijde kom. Begrijp je? Ik zou mijn moeder en vader weer zien en dat soort dingen. Maar ik geloof niet dat ik vergeving zal krijgen. En ik geloof ook niet dat ik er recht op heb. Maar, maar moet ik dan én aan gene zijde én hier alleen zijn?'

'Niemand hoeft alleen te zijn. Bob?' Ze legde haar hand op die van hem. Niet meer dan een ogenblik, maar het was genoeg. Het was genoeg. 'Niemand.'

Eric kwam uit de wc en liep naar de bar. Hij gebaarde met een duim naar Nadia. 'Wees even een topwijf en haal onze drankjes van tafel, oké?'

Bob liep weg om met iemand af te rekenen.

Tegen kwart voor twee was de menigte geslonken tot Eric, Nadia en Millie, die om stipt vijf voor twee naar haar aanleunwoning in Edison Green zou schuifelen. Ze vroeg om haar asbak, die Bob haar kant op schoof, waarna ze haar drankje en haar sigaret in gelijke mate koesterde en de as aan het uiteinde van haar sigaret liet aangroeien tot een kromme vogelklauw.

Eric grijnsde zijn tanden bloot naar Bob en siste: 'Wanneer krast het ouwe mens op?'

'Paar minuten,' zei Bob. 'Waarom heb je haar meegenomen?'

Eric keek naar Nadia, die ingedoken op de kruk naast hem zat. Hij leunde over de bar. 'Je zou toch moeten weten hoe serieus ik ben, Bob.'

'Weet ik.'

'Jij dénkt dat je het weet, maar je weet het niet. Als jij me ook maar iets flikt, dan maakt het me niet uit hoelang ik erover moet doen, maar dan verkracht ik haar de darmen uit d'r lijf. En mocht je iets van plan zijn in de zin van "die Eric loopt hier niet meer levend de deur uit", Bob, dan zal mijn partner in de Richie Whelan-klus jullie allebei komen doen.'

Eric leunde achterover terwijl Millie dezelfde fooi neerlegde die ze al achterliet sinds de Spoetnik – vijfentwintig cent – en zich van haar kruk liet glijden. Ze uitte een raspend geluid tegen Bob in tien procent stemband en negentig procent Virginia Slim Ultra Light 100: 'Ja, ik ga.'

'Voorzichtig, Millie, kijk uit.'

Ze wuifde het weg met een 'Ja, ja, ja,' en duwde de deur open.

Bob sloot af en nam zijn plaats achter de bar weer in. Hij veegde het blad schoon. Toen hij bij Erics ellebogen kwam, zei hij: 'Pardon.'

'Ga er maar omheen.'

Bob veegde in een halve cirkel om Erics ellebogen heen.

'Wie is je partner?' vroeg Bob.

'Zou niet veel dreiging van uitgaan als je wist wie het was, toch, Bob?'

'Maar hij heeft je geholpen Richie Whelan te vermoorden?'

Eric zei: 'Het gerucht gaat, Bob.'

'Meer dan een gerucht.' Bob veegde voor Nadia langs en zag de rode striemen om haar polsen waar Eric haar vastgegrepen had. Hij vroeg zich af of er striemen waren die hij niet kon zien.

'Nou, dan is het meer dan een gerucht, Bob. Dus zo zit dat.'

'Zit wat?'

'Zo zit dat,' zei Eric, dreigend. 'Hoe laat is het, Bob?'

Bob reikte onder de bar. Hij kwam tevoorschijn met de tienduizend dollar in de zak. Hij maakte de zak open, haalde er het geld uit en legde het voor Eric op de bar.

Eric keek ernaar. 'Wat is dit?'

Bob zei: 'De tienduizend waar je om had gevraagd.'

'Waarvoor ook weer?'

'De hond.'

'De hond. Ja, ja, ja,' fluisterde Eric. Hij keek op. 'Maar hoeveel voor Nadia dan?'

Bob zei: 'Dus zo werkt het.'

'Kennelijk,' zei Eric. 'Maar laten we allemaal nog even een paar minuten chillen, en dan om twee uur in de kluis kijken.'

Bob draaide zich om en koos een fles Poolse wodka uit. Hij nam de beste, de Orkisz. Hij schonk zichzelf in. Sloeg hem achterover. Dacht aan Marv en schonk nog eens in, een dubbele deze keer.

Hij zei tegen Eric Deeds: 'Wist je dat Marv een jaar of tien geleden een cocaïneprobleem had?'

'Dat wist ik niet, Bob.'

'Je hoeft niet elke keer mijn naam te zeggen.'

'Ik zal eens kijken wat ik daaraan kan doen, Bob.'

'Maar goed, ja, Marv hield te erg van de coke en dat brak hem op.'

'Het loopt tegen tweeën, Bob.'

'In die tijd was hij meer een woekeraar. Nou ja, hij deed er wel wat heling naast, maar hij was toch vooral een woekeraar. En toen was er ook zo'n knul. Marv had hem voor een enorm bedrag bij de kloten. Echt hopeloos verslingerd aan hondenrennen en basketbal. Het soort jongen dat nooit alles zou kunnen terugbetalen wat hij schuldig was.'

'Een uur zevenenvijftig, Bob.'

'Maar weet je wat? Die knul had geluk met een fruitmachine in het casino. Zeventienduizend rolde eruit. En dat was net iets meer dan hij Marv schuldig was.'

'Maar hij betaalde Marv niet terug, dus toen hebben jij en Marv hem flink aangepakt en nu moet ik daaruit...'

'Nee, nee. Hij heeft Marv wel terugbetaald. Tot op de laatste cent. Maar wat die knul niet wist was dat Marv had lopen afromen. Vanwege zijn cokegebruik natuurlijk. En het geld van die knul kwam als manna uit de hemel, zolang niemand maar wist dat het van die knul kwam. Begrijp je wat ik bedoel?'

'Bob, het is godverdomme een minuut voor twee.' Er stond zweet op Erics bovenlip.

'Maar begrijp je waar ik naartoe wil?' vroeg Bob. 'Begrijp je het verhaal?'

Eric keek naar de deur om zeker te weten dat hij op slot was. 'Best, ja. Die knul, die moest een poot uitgedraaid worden.'

'Hij moest dood.'

Een snelle blik opzij vanuit zijn ooghoek. 'Oké, dood.'

'Dan zou hij nooit kunnen zeggen dat hij Marv had afbetaald, en iemand anders ook niet. Marv gebruikte het geld om alle gaten mee te dichten, hij veegde zijn straatje schoon en alles was alsof het nooit was gebeurd. Dus, dat hebben we toen gedaan.'

'Jullie hebben...' Eric had zijn gedachten er nauwelijks bij, maar in zijn hoofd begon een waarschuwende bel te rinkelen en hij keek van de klok naar Bob.

'We hebben hem gedood in mijn kelder,' zei Bob. 'Weet je hoe hij heette?'

'Ik zou het niet weten, Bob.'

'Natuurlijk wel.'

'Jezus?' Eric glimlachte.

Bob niet. 'Richie Whelan.'

Bob stak een hand onder de bar en haalde het pistool tevoorschijn. Hij had niet door dat de veiligheidspal erop zat, zodat er niets gebeurde toen hij de trekker overhaalde. Eric maakte een schokkende beweging met zijn hoofd en probeerde zich af te zetten tegen de reling langs de bar, maar Bob wipte met zijn duim de veiligheidspal los en schoot Eric vlak onder zijn keel in zijn borst. Het schot klonk als een aluminium golfplaat die van een dak gerukt wordt. Nadia gaf een gil. Geen lange gil, maar scherp van de schok. Eric viel met veel kabaal van zijn barkruk, en tegen de tijd dat Bob achter de bar vandaan was gekomen, was Eric al stervende, maar nog niet helemaal weg. De ventilator aan het plafond liet smalle schaduwbanen over zijn gezicht glijden. Zijn wangen pufden naar binnen en naar buiten, alsof hij probeerde op adem te komen en tegelijkertijd iemand te kussen.

'Het spijt me, maar jullie jongelui,' zei Bob. 'Jullie hebben gewoon geen manieren. Jullie lopen het huis uit in de spullen die je binnen aanhebt. Jullie zeggen verschrikkelijke dingen over vrouwen. Jullie doen onschuldige honden pijn. Ik ben doodmoe van je, man.'

Eric staarde naar hem op. Hij huiverde alsof hij last had van brandend maagzuur. Hij keek nijdig. Gefrustreerd. De blik bevroor op zijn gezicht alsof die erop was vastgenaaid, en toen was hij niet meer in zijn lichaam. Gewoon weg. Gewoon, shit, dood.

Bob sleepte hem naar de koelcel.

Toen hij terugkwam duwde hij een schoonmaaktrolley en een zwabber voor zich uit. Nadia zat nog steeds op haar kruk. Haar mond was een beetje breder dan normaal en ze kon haar ogen niet van het bloed op de vloer afhouden, maar voor de rest leek ze volkomen normaal.

'Hij zou steeds zijn teruggekomen,' zei Bob. 'Als ze je iets afnemen en je laat ze hun gang gaan, dan voelen ze geen dankbaarheid, maar vinden alleen maar dat je ze nog meer verschuldigd bent.' Hij doopte de mop in de emmer, wrong hem licht uit en haalde hem heen en weer over de grootste bloedplek. 'Dat slaat nergens op, toch? Maar zo voelen ze zich erover. Alsof ze er recht op hebben. En later kun je ze nooit meer op andere gedachten brengen.'

Ze zei: 'Hij... Je hebt hem verdomme gewoon doodgeschoten. Je hebt hem... Ik bedoel, begrijp je?'

Bob zwabberde de plek. 'Hij sloeg mijn hond.'

16

Laatste ronde

Marv zat een eindje verderop in de straat in zijn auto onder de kapotte straatlantaarn, waar niemand hem zou opmerken. Hij zag het meisje in haar eentje de bar verlaten en in tegenovergestelde richting de straat uit lopen.

Dat sloeg goddomme nergens op. Deeds had al lang buiten moeten zijn. Had tien minuten geleden al op straat moeten staan. Hij zag iets bewegen achter het raam met de verlichte bierreclame, die vervolgens uitging. Maar voor dat gebeurde had hij iemands kruin gezien.

Bob. Alleen Bob was zo lang dat zijn hoofd boven dat bord uit kon steken. Eric Deeds zou een sprong met aanloop hebben moeten nemen om bij het koordje van die lamp te kunnen. Maar Bob, Bob was groot. Groot en lang, en veel slimmer dan hij doorgaans liet merken, shit, precies het soort gast dat zijn grote braafdoenersneus in zijn zaken zou kunnen steken en alles verkloten.

Heb je dat gedaan, Bob? Heb je de boel verknald voor me? Mijn kans bedorven?

Marv keek naar de tas op de zitting naast zich, met in het voorvakje de vliegtickets, die er als een opgestoken middelvinger uitstaken.

Hij besloot dat het verstandigst misschien wel zou zijn om om te rijden naar de steeg, voorzichtig achterlangs binnen te sluipen en te zien wat er aan de hand was. Eigenlijk wist hij wel wat er aan de hand was: Eric had het niet voor elkaar gekregen. In een vlaag van wanhoop had Marv hem zelfs tien minuten geleden op zijn mobiel gebeld, maar er was niet opgenomen.

Natuurlijk was er niet opgenomen. Hij was dood.

Hij is niet dood, redeneerde Marv. Die tijden liggen achter ons.

Voor jou misschien. Voor Bob daarentegen...

Wat zou het ook. Marv zou achterlangs rijden en zien wat er verdomme aan de hand was. Hij zette de auto in de versnelling en zijn voet kwam juist omhoog van het gaspedaal, toen Chovka's zwarte Suburban langsreed, met het witte busje er vlak achteraan. Marv schakelde terug in de parkeerstand en liet zich onderuitzakken in zijn stoel. Boven het dashboard uit turend zag hij Chovka en Anwar en een paar andere jongens uitstappen. Behalve Chovka hadden ze allemaal een reistas op wieltjes bij zich. Zelfs vanwaar hij zat, kon Marv zien dat ze leeg waren, aan de manier waarop de jongens ermee zwaaiden terwijl ze naar de voordeur liepen. Anwar klopte aan, en zo stonden ze daar, te wachten en witte pufjes adem uit te blazen. Toen de deur openging lieten ze Chovka voorgaan en volgden hem naar binnen.

Kut, dacht Marv. Kut, kut, kut.

Hij keek naar zijn vliegtickets – hij zou er niet veel mee opschieten om overmorgen zonder een cent op zak in Bangkok aan te komen. Hij was van plan geweest om te vertrekken met voldoende geld om een paar douaniers om te kopen, de grens naar Cambodja over te steken en door te reizen naar Kampuchea, in het uiterste zuiden, waar hij dacht dat niemand hem zou komen zoeken. Hij wist niet precies waarom hij dacht dat niemand hem daar zou komen zoeken, maar alleen dat als hij naar zichzelf op zoek zou zijn, Kampuchea wel zo ongeveer de laatste plaats op aarde zou zijn waar hij zichzelf zou denken aan te treffen. De absoluut laatste plaats zou Finland of Mantsjoerije zijn, een echt koud oord ergens, en misschien zou dat beter zijn geweest, de slimste zet, maar Marv had zoveel winters in Boston doorstaan dat hij er vrijwel van overtuigd was dat zowel zijn rechterneusvleugel als zijn linkerbal onherstelbaar was aangetast door bevriezing, dus naar een koud oord gaan was echt te veel gevraagd.

Hij keek opnieuw naar de bar. Als Eric dood was – wat op dit moment het meest waarschijnlijk leek – dan had Bob de Umarovs en elk syndicaat in de stad miljoenen dollars bespaard. Miljoenen.

Hij zou verdomme een held zijn. Misschien zouden ze hem wel een mooie fooi toeschuiven. Chovka was altijd op Bob gesteld geweest omdat Bob hem zo vriendelijk behandelde. Misschien kreeg hij wel een procent of vijf. Daarmee zou Marv naar Cambodja kunnen.

Dus, ja, nieuw plan. Wachten tot de Tsjetsjenen weer weg waren. Dan een praatje gaan maken met Bob.

Hij rechtte zich iets in zijn stoel, nu hij een plan had. Hoewel hij plotseling bedacht dat hij natuurlijk wat Thai had moeten leren. Of ten minste een boek erover had moeten kopen.

Maar ach, dat zou op het vliegveld nog wel te krijgen zijn.

Chovka ging aan de bar zitten en scrolde door het logboek in Eric Deeds' mobiele telefoon. Bob stond achter de bar.

Chovka hield Bob de telefoon voor om hem het nummer van een pas gemiste oproep te laten zien.

'Ken je dat nummer?'

Bob knikte.

Chovka zuchtte. 'Ik ken dat nummer ook.'

Anwar kwam uit de koelcel met een sporttas op wielen achter zich aan.

Chovka vroeg: 'Paste hij erin?'

Anwar zei: 'We moesten zijn benen breken. Paste prima.'

Anwar liet de met Eric gevulde tas bij de voordeur staan en wachtte.

Chovka stopte Erics telefoon in zijn zak en pakte er een van zichzelf uit.

De andere Tsjetsjenen kwamen uit het achtervertrek.

George zei: We hebben het geld in de vaatjes gedaan, baas. Dakka komt zo langs met de bierwagen, nog twintig minuten, zei die.'

Chovka knikte. Hij concentreerde zich op zijn telefoon en zat te sms'en als een schoolmeisje van zestien in haar lunchpauze. Toen hij klaar was met zijn bericht stopte hij de telefoon weg en keek Bob lange tijd aan. Als Bob het moest schatten zou hij zeggen dat de stilte drie minuten duurde, misschien vier. En het voelde als twee dagen. Niemand die een vin verroerde in de bar, geen geluid dan dat van zes mannen die ademhaalden. Chovka keek in Bobs ogen en toen achter zijn ogen langs en over zijn hart heen en door zijn bloed. Volgde dat bloed door zijn longen, door zijn hoofd, bewoog zich door Bobs gedachten en toen zijn herinneringen, alsof hij door de kamers van een huis liep dat misschien al op de slooplijst stond.

Chovka voelde in zijn zak. Hij legde een envelop op de bar. Keek Bob met opgetrokken wenkbrauwen aan.

Bob maakte de envelop open. Er zaten kaartjes in voor een wedstrijd van de Celtics.

Chovka zei: 'Het zijn geen plaatsen op de eerste rij, maar wel heel goed. Het zijn mijn eigen plaatsen.'

Bobs hart begon weer te slaan. Zijn longen vulden zich met zuurstof. 'O, wauw. Dank u.'

Chovka zei: 'Volgende week kom ik je er nog een paar brengen. Ik ga niet naar alle wedstrijden. Er zijn een hele hoop wedstrijden. Ik kan niet naar al die wedstrijden.'

Bob zei: 'Ik snap het.'

Chovka las een bericht op zijn telefoon en begon een antwoord te tikken. 'Reken wel op een uur om er te komen, en een halfuur na afloop, vanwege het verkeer.'

Bob zei: 'Het verkeer kan behoorlijk tegenzitten.'

Chovka zei: 'Als ik dat tegen Anwar zeg, zegt die dat het wel meevalt.'

Anwar zei: 'Het is niet als in Londen.'

Chovka was nog steeds met zijn sms bezig. 'Wat is er wel zoals in Londen? Laat me horen of je het leuk vond, Bob. Kwam hij zomaar binnenlopen?' Hij liet zijn telefoon in zijn zak glijden en keek Bob aan.

Bob keek hem verbaasd aan. 'Ja. Gewoon door de voordeur nadat ik Millie eruit had gelaten.'

Chovka zei: 'En hij drukte jou dat pistool onder je neus, maar jij zei: "Vanavond niet," hè?'

Bob zei: 'Ik zei niks.'

Chovka maakte een gebaar alsof hij een trekker overhaalde. 'Natuurlijk wel. Je zei: "Paf."' Chovka voelde opnieuw in zijn binnenzak en kwam met nog een envelop tevoorschijn. De envelop flipte open toen hij hem op de bar smeet, bol van het geld. 'Mijn vader wil dat ik je dit geef. Weet je de laatste keer dat mijn vader geld aan iemand gaf? Man. Je bent nu een ere-Umarov, Bob.'

Bob kon niets anders bedenken om te zeggen dan: 'Dank u.'

Chovka gaf Bob een klopje op zijn wang. 'Dakka komt er zo aan. Tot ziens.'

Bob zei: 'Tot ziens. Dank u. Tot ziens.'

George deed de deur open en Chovka liep een sigaret opstekend naar buiten. Anwar volgde, met de roltas met Eric achter zich aan; de wieltjes schokten over de drempel en toen over de beijzelde stoep.

Wat nou dan weer? Marv zag de Tsjetsjenen de bar uit komen met een rolkoffer die door twee van die jongens achter in het busje getild moest worden. Hij had verwacht dat ze meer dan één tas zouden hebben. Al dat geld?

Toen ze wegreden draaide hij zijn raampje naar beneden en smeet zijn sigaret op de sneeuwkoek bij de brandkraan. De peuk rolde van de harde bult de goot in en doofde in een plas.

Nog iets wat hij moest doen als hij in Thailand was: stoppen met roken. Het was wel mooi geweest. Toen hij zijn raampje weer omhoog wilde draaien zag hij tien centimeter naast zich, op de stoep, een vent staan.

Dezelfde vent die hem een paar weken geleden de weg had gevraagd.

'O, shit,' zei Marv zacht, terwijl de man hem recht door zijn neus schoot.

'Ga nu heen in vrede om de Heer lief te hebben en te dienen.'

Pastoor Regan maakte een kruisteken en dat was het – de laatste mis.

Ze keken allemaal om zich heen naar elkaar, de paar taaie volhouders, de boetelingen en vaste bezoekers van de vroege ochtendmis: Bob, Torres, de weduwe Malone, Theresa Coe en de oude Williams, plus een paar mensen die al een tijdje niet geweest waren en die nu hun gezicht lieten zien voor een gastrol in de allerlaatste show. Bob zag eenzelfde soort matheid op alle gezichten – ze hadden geweten dat het zou gebeuren en toch op de een of andere manier niet.

Pastoor Regan zei: 'Als er iemand een kerkbank wil hebben voordat ze in depot naar een opkoper gaan, bel even met Bridie in de pastorie, die nog drie weken openblijft. God zegene jullie allen.'

Een minuut lang verroerde niemand zich. Toen schuifelde de weduwe Malone naar het gangpad, gevolgd door Torres. Gevolgd door een paar gaststerren. Bob en de oude Williams waren de laatste twee die gingen. Bij het wijwatervat sloeg Bob voor de laatste keer binnen deze muren een kruis en ving een blik op van Williams. De oude man glimlachte en knikte een paar keer, maar hij zei niets, waarna ze samen naar buiten liepen.

Op de stoep keken hij en Torres omhoog naar het gebouw.

'Wanneer heb jij dit jaar je kerstboom afgetuigd?' vroeg Bob.

Torres zei: 'De dag na Driekoningen. Jij?'

Bob zei: 'Net zo.'

Ze knikten elkaar toe en keken weer naar de kerk.

'Het is precies zoals ik voorspelde,' zei Torres.

'Hoe bedoel je?'

'Ze hebben hem verkocht aan een projectontwikkelaar. Het worden appartementen, Bob. Over een tijdje zitten ongelovigen daarboven achter dat prachtige raam van hun modieuze koffietjes te nippen en te praten over hoe heilig ze geloven in hun fitnesscoach.' Hij schonk Bob een zachte, droevige glimlach en haalde zijn schouders op. Na een poosje zei hij: 'Hield jij van je vader?'

Bob keek hem lang genoeg aan om zeker te weten dat hij het meende. 'Vreselijk veel.'

Torres zei: 'Konden jullie goed met elkaar?'

Bob zei: 'Ja.'

'Ik ook. Dat hoor je niet vaak.' Hij keek weer omhoog. 'Het was een prachtige kerk. Ik heb het gehoord over je neef Marv, gecondoleerd.'

'Een uit de hand gelopen autodiefstal, zeiden ze.'

Torres' ogen werden groot. 'Dat was een afrekening. Een halve straat van jullie bar.'

Bob keek de straat in en zei niets.

Torres zei: 'Eric Deeds. Ik vroeg je een keer of je die kende.'

'Ja.'

'Toen anders niet.'

'Ja, ik weet nog dat je het vroeg.'

Torres zei: 'Aha. Hij was bij jullie in de bar op de zondag van Super Bowl. Heb je hem gezien?'

Bob zei: 'Weet je hoeveel mensen we binnen hadden die avond?'

Torres zei: 'Daar is hij voor het laatst gezien. Daarna? Gevlogen. Net als Richie Whelan. Ironisch, omdat Deeds de vermoedelijke moordenaar is van Whelan. Links en rechts worden mensen overhoopgeschoten of ze verdwijnen, maar jij ziet niks.'

Bob zei: 'Hij zou best nog op kunnen duiken.'

Torres zei: 'Maar in dat geval is het waarschijnlijk in een of andere gesloten inrichting. Want daar zat hij ook op de avond dat Whelan verdween.'

Bob keek hem aan.

Torres knikte een paar keer. 'Echt. Zijn maat vertelde me dat Deeds die Whelan-moord altijd naar zich toe trok omdat niemand anders dat deed en hij dacht dat het hem meer aanzien zou geven op straat. Maar hij is niet de moordenaar van Whelan.'

Bob zei: 'Maar zal iemand hem missen, denk je?'

Torres stond versteld van deze vent. Hij glimlachte. 'Wat zeg je nou?'

'Of het een gemis zal zijn,' zei Bob.

Torres zei: 'Nee. Maar misschien was Whelan dat evenmin.'

Bob zei: 'Dat is niet waar. Ik kende Glory Days. Dat was geen slechte jongen. Helemaal niet.'

Een tijdje zeiden ze geen van beiden iets. Toen boog Torres zich naar hem toe. 'Niemand die jou ooit in de smiezen heeft, hè?'

Bob hield zijn gezicht zo helder en open als een bosmeertje. Hij gaf Torres een hand. 'Hou je goed, inspecteur.'

'Jij ook.'

Bob liet hem starend naar het gebouw achter, niet bij machte om iets te veranderen aan wat zich daar afspeelde.

Een paar dagen later kwam Nadia langs. Ze lieten de hond uit. Toen het tijd werd om naar huis te gaan, liepen ze naar dat van haar, niet naar het zijne.

'Ik moet kunnen geloven,' zei Nadia, toen ze binnen waren, 'dat het een bedoeling heeft. En zelfs als die is dat jij me vermoordt zodra ik mijn ogen dichtdoe...'

'Ik? Wat? Nee,' zei Bob. 'O, nee.'

'... dan vind ik het best. Want ik kan hier niet meer van hebben in mijn eentje, van dit alles. Geen dag langer.'

'Ik ook niet,' zei hij, zijn ogen dichtgeknepen. 'Ik ook niet.'

Een hele tijd zeiden ze niets. En toen: 'Hij moet uit.'

'Hè?'

'Rochus. Hij is al een tijdje niet naar buiten geweest.'

Hij sloeg zijn ogen op en keek naar het plafond van haar slaapkamer. Als kind had ze sterren opgeplakt, en die zaten er nog.

'Ik ga de riem pakken.'

In het park hing de februarilucht laag boven hun hoofd. Op de rivier was het ijs gesmolten, maar aan de donkere oever kleefden nog kleine stukjes.

Hij wist niet wat hij moest geloven. Rochus marcheerde voor hen uit en rukte wat aan zijn riem, zo trots, zo vrolijk en zo onherkenbaar anders dan het rillende hoopje vacht dat Bob nog maar twee maanden geleden uit een vuilcontainer had geplukt.

Twee maanden! Wauw. Wat konden dingen toch snel veranderen. Op een goede ochtend rolde je je op je andere zij en was het een heel nieuwe wereld. Een die zich naar de zon keerde, zich uitrekte en gaapte. Die zich naar de nacht keerde, en na een paar uur weer naar de zon. Elke dag een nieuwe wereld.

Toen ze het hart van het park bereikten maakte hij de riem los van Rochus' halsband en voelde in zijn jaszak naar een tennisbal. Rochus hief zijn kop. Hij snoof luidruchtig. Hij krabde de aarde los. Bob gooide de bal en Rochus stoof erachteraan. Bob stelde zich voor

dat de bal een scheve stuiter naar de weg zou maken. Gierende auto-
banden, de doffe bons van metaal tegen hond. Of wat er zou gebeuren als Rochus, plotseling vrij, niet meer ophield met rennen.

Maar wat deed je eraan?

Je had het niet in de hand.